Mathemateg

Cyfnod Allweddol Tri

Y Llyfr Adolygu
(Lefelau 3-6)

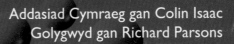
Addasiad Cymraeg gan Colin Isaac
Golygwyd gan Richard Parsons

Y fersiwn Saesneg:

Cyhoeddwyd gan Coordination Group Publications Ltd.
Ymgynghorwyr Cyfnod Allweddol Tri: Robert Gibson BA MSc PGCE a Mary Gibson BSc
Golygydd Dylunio: Ruso Bradley MSc PhD
Testun, dylunio, gosodiad ac arlunwaith gwreiddiol © Richard Parsons 1998, 1999, 2000.
Cedwir y cyfan o'r hawliau.

Y fersiwn Cymraeg:

©Addasiad Cymraeg: Awdurdod Cymwysterau, Cwricwlwm ac Asesu Cymru (ACCAC) 2002

Cyhoeddwyd gan y Ganolfan Astudiaethau Addysg, Prifysgol Cymru Aberystwyth.

Cyhoeddwyd gyda chymorth ariannol Awdurdod Cymwysterau, Cwricwlwm ac Asesu Cymru (ACCAC).

Argraffiad cyntaf: Mawrth 2002

ISBN   1 85644 665 4

Addasiad Cymraeg gan Colin Isaac
Golygwyd a pharatowyd ar gyfer y wasg gan Janice Williams, Eirian Jones a Glyn Saunders Jones

Dyluniwyd gan Enfys Beynon Jenkins ac Andrew Gaunt

Aelodau'r Pwyllgor Monitro: E. Dianne Evans ac Elfed Williams

Argraffwyr: Gwasg Gomer

Cynnwys

Rhifau Mawr

Mae angen i chi fod yn gallu:

1) *Darllen rhifau mawr*   e.e. sut y byddech yn dweud 1,432,678?
2) *Ysgrifennu rhifau mawr*   e.e. sut y byddech yn ysgrifennu "*Un deg pedwar o filoedd, un cant a deg*" fel rhif?

Grwpiau o dri

Cofiwch edrych ar rifau mawr mewn *grwpiau o dri*.

Mae'n gwneud synnwyr i mi.

4,521,396

MILIYNAU   MILOEDD   a'r gweddill
(h.y. 4 *miliwn*, 521 o *filoedd*, 396) neu wedi'i ysgrifennu mewn geiriau yn llawn:
Pedair *miliwn*, pum cant dau ddeg un o *filoedd*, tri chant naw deg chwech)

1) Dechreuwch o ben pella'r rhif, *ar yr ochr dde*, bob tro →
2) Ewch *i'r chwith*, ←, a rhowch goma *bob 3 digid* i dorri'r rhif yn *grwpiau o 3*.
3) *Darllenwch bob grŵp o dri* fel *rhif ar wahân* ac ysgrifennu "miliwn" (neu "filiwn") a "mil" (neu "o filoedd") yn eu trefn ar ôl y ddau grŵp cyntaf (gan fynd →, o'r chwith).

Rhoi Rhifau yn ôl Trefn Maint

Enghraifft: 49   220   13   3,402   76   94   105   684

Dull

1) Rhowch nhw mewn grwpiau, y rhai â'r nifer lleiaf o ddigidau gyntaf:

(y rhai 2 ddigid,   yna'r rhai 3 digid,   yna'r rhai 4 digid etc.)
49   13   76   94,   220   105   684,   3,402

2) Ar gyfer pob grŵp gwahanol rhowch y rhifau yn ôl trefn maint:

13   49   76   94,   105   220   684,   3,402

Y Prawf Hollbwysig

1) Ysgrifennwch y rhifau hyn mewn geiriau yn llawn: a) 1,431,716   b) 25,999
      c) 6,812   d) 2,041   e) 1,801
2) Ysgrifennwch hyn fel rhif: Naw mil, chwe chant pum deg pump.
3) Rhowch y rhifau hyn yn ôl trefn maint: 102   4,600   8   59   26   3,785   261

Plws, Minws, Lluosi a Rhannu

Dyma'r blociau adeiladu - gwnewch yn siŵr eich bod yn gwybod sut maen nhw'n gweithio.

1) Mae Plws a Minws Wrthwyneb i'w Gilydd

Y STORI YN Y GYMRAEG:

Rydych yn dechrau â 36c, mae rhywun yn rhoi 64c i chi, ac yna mae gennych £1.00.

Gan wrthod derbyn yr arian, rydych yn rhoi 64c yn ôl ac yna mae gennych y swm oedd gennych ar y cychwyn, sef 36c.

MEWN MATHEMATEG:

$36 + 64 = 100$

$100 - 64 = 36$

2) Mae Lluosi a Rhannu Wrthwyneb i'w Gilydd Hefyd

Y STORI YN Y GYMRAEG:

Mae gennych 4 bag gyda 12 afal ym mhob un. Mae gennych focs gwag ac rydych yn arllwys y cwbl i mewn, felly mae'r bocs yn awr yn cynnwys 48 afal.

Rydych yn newid eich meddwl ac yn penderfynu eu rhoi nhw'n ôl yn eu bagiau. Felly, rydych yn rhannu'r 48 afal rhwng y 4 bag, gan orffen gyda 12 afal ym mhob bag, fel o'r blaen.

MEWN MATHEMATEG

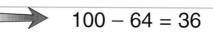

$12 \times 4 = 48$

$48 \div 4 = 12$

3) Defnyddio'r Gwrthwyneb wrth Wirio

Enghraifft 1:   *"Beth yw'r gwahaniaeth rhwng 529 a 278?"*

Cam 1) CYFRIFWCH   529 - 278   Ar eich cyfrifiannell cewch yr ateb 251.

Cam 2) GWIRIWCH   251 + 278   sy'n mynd â chi'n ôl i 529.

Enghraifft 2:   *"Beth yw 342 ÷ 18?"*

Cam 1) CYFRIFWCH $342 \div 18 = 19$

Cam 2) GWIRIWCH $19 \times 18 = 342$

Y Prawf Hollbwysig

DYSGWCH y dulliau ar y dudalen hon.

Gwnewch y canlynol ac yna gwiriwch eu bod nhw'n gywir drwy wneud y gwrthwyneb:

1) $27 + 49$ 3) $246 + 392$ 5) 14×5 7) 34×28
2) $65 - 36$ 4) $610 - 252$ 6) $100 \div 20$ 8) $240 \div 15$

Patrymau gyda Lluosi a Rhannu

Mae angen i chi ddod yn gyfarwydd â hyn. Gallwch gael cwestiynau yn yr arholiad sy'n seiliedig ar y syniad hwn.

Enghraifft:

Dychmygwch fod argyfwng wedi digwydd yn y diwydiant creision ac mai dim ond hanner cymaint o greision tatws sydd ym mhob bag ag o'r blaen. Beth wnewch chi? Mae'r ateb yn hawdd - i gael yr un nifer o greision prynwch ddau fag yn hytrach nag un. Neu bedwar yn hytrach na dau. Neu chwech yn hytrach na thri. Ac yn y blaen. Bydd dyblu un rhif yn <u>gwneud iawn</u> am haneru'r llall.

Mae [CREISION 40] yr un fath â [CREISION 20] [CREISION 20]

Diolch am hynny! 40 o greision eto

Pa ffordd bynnag yr edrychwch arno, mae'n dal i fod yn 40.

$$\times 2 \left(\begin{array}{ccc} 1 & \times & 40 \\ 2 & \times & 20 \end{array} \right) \begin{array}{c} \div 2 \end{array} \begin{array}{c} = 40 \\ = 40 \end{array}$$

Mae yna hen ddywediad,
"rydych yn ennill ar <u>y siglenni</u> yr hyn a gollwch ar <u>y rowndabowt</u>".
Yma yr $\times$ yw'r "<u>siglenni</u>" a'r $\div$ yw'r "<u>rowndabowt</u>".

$$\times 2 \left(\begin{array}{ccc} 2 & \times & 20 \\ 4 & \times & 10 \\ 8 & \times & 5 \end{array} \right) \begin{array}{c} \div 2 \\ \div 2 \end{array} \begin{array}{c} = 40 \\ = 40 \\ = 40 \end{array}$$

Yma mae $\times 2$ yn adennill yr hyn a gollwyd â $\div 2$.

Yn yr un modd mae $\times 3$ yn gwneud iawn am $\div 3$.

$$\times 3 \left(\begin{array}{ccc} 5 & \times & 18 \\ 15 & \times & 6 \\ 45 & \times & 2 \end{array} \right) \begin{array}{c} \div 3 \\ \div 3 \end{array} \begin{array}{c} = 90 \\ = 90 \\ = 90 \end{array}$$

Y Prawf Hollbwysig

DYSGWCH sut mae'r patrymau hyn yn gweithio.

Darganfyddwch y rhif sydd ar goll ym mhob patrwm:

1) $10 \times 2 = 20$
$5 \times ... = 20$

2) $12 \times 6 = 72$
$6 \times ... = 72$

3) $16 \times 3 = 48$
$... \times 6 = 48$

4) $6 \times 15 = 90$
$... \times 30 = 90$

5) $3 \times 26 = 78$
$... \times 13 = 78$

6) $... \times 16 = 64$
$8 \times 8 = 64$

Lluosi â 10, 100, 1000 etc.

Dylech wybod hyn oherwydd ei fod
a) yn *hawdd iawn*, a   b) yn debygol o fod yn yr arholiad.

1) LLUOSI UNRHYW RIF Â 10

Symudwch y Pwynt Degol (P.D.) UN lle i'r DDE ac os bydd angen ADIWCH SERO ar y diwedd.

Enghreifftiau:

$35.4 \times 10 = \underline{35\ 4}$

$162 \times 10 = \underline{1\ 6\ 2\ 0}$

$8.625 \times 10 = \underline{8\ 6\ .\ 2\ 5}$

2) LLUOSI UNRHYW RIF Â 100

Symudwch y Pwynt Degol (P.D.) 2 le i'r DDE ac ADIWCH UNRHYW SERO sydd ei angen.

Enghreifftiau:

$75.9 \times 100 = \underline{7\ 5\ 9\ 0}$

$618 \times 100 = \underline{6\ 1\ 8\ 0\ 0}$

$12.573 \times 100 = \underline{1\ 2\ 5\ 7\ .\ 3}$

3) LLUOSI Â 1000, NEU 10,000 Mae'r un rheol yn gymwys:

Symudwch y Pwynt Degol (P.D.) hyn a hyn o leoedd i'r DDE ac ADIWCH UNRHYW SERO sydd ei angen.

Enghreifftiau:

$28 \times 1000 = \underline{2\ 8\ 0\ 0\ 0}$

$1.6789 \times 10,000 = \underline{1\ 6\ 7\ 8\ 9}$

Symudwch y PWYNT DEGOL y nifer canlynol o leoedd:
1 lle ar gyfer 10,   2 le ar gyfer 100,
3 lle ar gyfer 1000,   4 lle ar gyfer 10,000   etc.

4) LLUOSI Â RHIFAU FEL 20, 300, 8000 etc.

YN GYNTAF lluoswch â 2 neu 3 neu 8 etc. Yna symudwch y Pwynt Degol (P.D.) un lle i'r DDE am bob sero.

Dihuna fi pan fydd hyn ar ben

Enghreifftiau:
I ddarganfod 431×200, *yn gyntaf lluoswch â 2* $431 \times 2 = 862$,
yna *symudwch y P.D. 2 le* $= \underline{8\ 6\ 2\ 0\ 0}$

Y Prawf Hollbwysig

1) Cyfrifwch   a) 14×100 b) 87.1×10 c) 25×1000
2) Cyfrifwch   a) 3×200 b) 11×60 c) 7×3000

Rhannu â 10, 100, 1000 etc.

Mae hyn yn *ddigon hawdd* hefyd. *Gwnewch yn siŵr eich bod yn ei wybod.*

1) RHANNU UNRHYW RIF Â 10

Symudwch y Pwynt Degol UN lle i'r CHWITH a DILEU'R SERO ar ôl y pwynt degol os bydd angen.

Enghreifftiau:

$35.4 \div 10 = 3.54$

$162 \div 10 = 16.2$

$8.625 \div 10 = 0.8625$

2) RHANNU UNRHYW RIF Â 100

Symudwch y Pwynt Degol 2 le i'r CHWITH a DILEU SEROAU ar ôl y pwynt degol.

Enghreifftiau:

$75.9 \div 100 = 0.759$

$618 \div 100 = 6.18$

$12.573 \div 100 = 0.12573$

3) RHANNU Â 1000, NEU 10,000 Mae'r un rheol yn gymwys:

Symudwch y Pwynt Degol hyn a hyn o leoedd i'r CHWITH a DILEU SEROAU ar ôl y pwynt degol.

Enghreifftiau:

$528 \div 1000 = 0.528$

$16789 \div 10,000 = 1.6789$

Symudwch y PWYNT DEGOL y nifer canlynol o leoedd:
1 lle ar gyfer 10,   2 le ar gyfer 100,
3 lle ar gyfer 1000,   4 lle ar gyfer 10,000   etc.

4) RHANNU Â 40, 300, 2000 etc.

YN GYNTAF rhannwch â 4 neu 3 neu 2 etc.
Yna symudwch y Pwynt Degol un lle i'r CHWITH am bob sero.

Hwre! Mae ar ben o'r diwedd

Enghraifft:
I ddarganfod 630 ÷ 300, *yn gyntaf rhannwch â 3*   630 ÷ 3 = 210,
yna *symudwch y P.D. 2 le i'r chwith*   = 2.1

Y Prawf Hollbwysig

1) Cyfrifwch   a) 56 ÷ 10   b) 426.5 ÷ 100   c) 12.75 ÷ 1000
2) Cyfrifwch   a) 44 ÷ 20   b) 666 ÷ 30   c) 8000 ÷ 200

Lluosrifau a Ffactorau

1) "Tablau Lluosi" yw Lluosrifau

e.e. *lluosrifau 2* yw *tabl lluosi 2:*

2   4   6   8   10   12   14   16   etc

Lluosrifau 8 yw	8	16	24	32	40	48	etc	
Lluosrifau 6 yw	6	12	18	24	30	36	42	etc
Lluosrifau 12 yw	12	24	36	48	60	72	84	etc

Defnyddio Cyfrifiannell i Ddarganfod Lluosrifau

1) Gallwch ddarganfod lluosrifau unrhyw rif yn hawdd *drwy ddefnyddio cyfrifiannell.*
2) *Adiwch yr un rhif dro ar ôl tro* – e.e. i ddarganfod lluosrifau 8 (tabl lluosi 8) pwyswch 8 + 8 + 8 + 8 + etc a darllenwch y rhifau ar y dangosydd.

2) Ffactorau rhif yw "Y Rhifau sy'n Rhannu'n Union i mewn iddo"

Sut i Ddarganfod Ffactorau

1) **Defnyddiwch** gyfrifiannell.

2) **Gan ddechrau ag 1, rhowch gynnig ar bob rhif yn ei dro, hyd at hanner maint y rhif, i weld a ydyn nhw'n rhannu'n union i mewn i'r rhif.**

Os ydynt, *maen nhw'n ffactorau.*

Enghraifft: Darganfyddwch ffactorau 16.
Ateb: *Gan ddefnyddio cyfrifiannell, rhannwch 16 â phob rhif yn ei dro:*

16÷1 = 16   *mae* 1 yn ffactor
16÷2 = 8   *mae* 2 yn ffactor
16÷3 = 5.3   dydy 3 DDIM yn ffactor
16÷4 = 4   *mae* 4 yn ffactor
16÷5 = 3.2   dydy 5 DDIM yn ffactor
16÷6 = 2.6   dydy 6 DDIM yn ffactor
16÷7 = 2.29   dydy 7 DDIM yn ffactor
16÷8 = 2   *mae* 8 yn ffactor

Dyma *hanner ffordd* (gan fod 8 yn hanner 16) felly gallwn STOPIO.

Felly ffactorau 16 yw 1, 2, 4, 8 ac 16 ei hun, cofiwch.

Y Prawf Hollbwysig

1) Rhestrwch holl luosrifau 4 hyd at 100   b) Rhestrwch holl luosrifau 9 hyd at 100   c) Pa rif yw'r cyntaf sy'n lluosrif 4 <u>a hefyd</u> yn lluosrif 9?

2) a) Darganfyddwch holl ffactorau 6   b) Darganfyddwch holl ffactorau 15   c) Pa rif sy'n ffactor o 6 a hefyd yn ffactor o 15?

Odrifau, Eilrifau, Rhifau Sgwâr a Rhifau Ciwb

Mae pedwar dilyniant arbennig o rifau y dylech eu GWYBOD:

1) EILRIFAU

2 4 6 8 10 12 14 16 18 20 ...   h.y. tabl lluosi 2

Mae pob *EILRIF* yn DIWEDDU â 0, 2, 4, 6 neu 8   e.e. 144, 300, 612, 76

2) ODRIFAU

1 3 5 7 9 11 13 15 17 19 21 ...

Mae pob *ODRIF* yn DIWEDDU ag 1, 3, 5, 7 neu 9   e.e. 105, 79, 213, 651

Mae'r EILRIFAU i gyd yn rhannu â 2.   Dydy ODRIFAU DDIM yn rhannu â 2.

3) RHIFAU SGWÂR

1   4   9   16   25   36   49   64   81   100   121   144 ...

(1×1) (2×2) (3×3) (4×4) (5×5) (6×6) (7×7) (8×8) (9×9) (10×10) (11×11) (12×12) etc.

Cânt eu galw'n RHIFAU SGWÂR am eu bod yn debyg i arwynebedd y patrwm hwn o sgwariau:

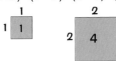

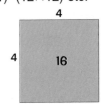

$1 \times 1 = \underline{1}$ $2 \times 2 = \underline{4}$ $3 \times 3 = \underline{9}$ $4 \times 4 = \underline{16}$

4) RHIFAU CIWB

1   8   27   64   125   216   343   512   729   1000...

(1×1×1) (2×2×2) (3×3×3) (4×4×4) (5×5×5) (6×6×6) (7×7×7) (8×8×8) (9×9×9) (10×10×10)...

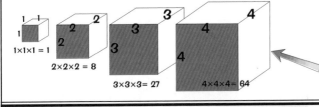

1×1×1 = 1

2×2×2 = 8

3×3×3 = 27

4×4×4 = 64

Cânt eu galw'n RHIFAU CIWB am eu bod yn debyg i gyfeintiau'r patrwm hwn o giwbiau.

Y Prawf Hollbwysig

1) Dysgwch beth yw EILRIFAU ac ODRIFAU, a sut i gyfrifo RHIFAU SGWÂR a RHIFAU CIWB. Cuddiwch y dudalen ac ysgrifennwch y 10 cyntaf o bob un.

2) O'r rhestr hon o rifau:

27,   49,   100,   81,   125,   31,   132,   50

ysgrifennwch a) yr holl eilrifau   b) yr holl odrifau

c) yr holl rifau sgwâr   d) yr holl rifau ciwb

Rhifau Cysefin

Gall rhifau cysefin fod yn *anodd* - ond maen nhw'n *llawer llai anodd* os *dysgwch* y canlynol:

1) Yn syml, DYDY Rhifau CYSEFIN DDIM YN RHANNU AG UNRHYW RIF

A dyna'r ffordd orau o feddwl amdanynt.

Rhifau Cysefin, felly, yw'r holl rifau NAD YDYNT i'w gweld mewn Tablau Lluosi:

| 2 | 3 | 5 | 7 | 11 | 13 | 17 | 19 | 23 | 29 | 31 | 37 ... |

Fel y gwelwch, maen nhw'n gasgliad *rhyfedd yr olwg* (am na ellir eu rhannu ag unrhyw rif). Er enghraifft:

Yr *unig rifau* sy'n lluosi i roi 11 yw 1×11

Yr *unig rifau* sy'n lluosi i roi 23 yw 1×23

Yr *unig ffordd* i gael UNRHYW RIF CYSEFIN yw $1 \times$ Y RHIF EI HUN

2) Maen Nhw i Gyd yn Diweddu ag 1, 3, 7 neu 9

1) Dydy 1 DDIM yn rhif cysefin

2) Y pedwar rhif cysefin cyntaf yw 2, 3, 5 a 7

3) 2 a 5 yw'r EITHRIADAU am fod y gweddill i gyd yn diweddu ag 1, 3, 7 neu 9

4) Ond DYDY POB rhif sy'n diweddu ag 1, 3, 7 neu 9 DDIM yn rhif cysefin, fel y gwelir yma:

(Dim ond y rhifau â chylch amdanynt sy'n rhifau cysefin)

②	③	⑤	⑦
⑪	⑬	⑰	⑲
21	㉓	27	㉙
㉛	33	㊲	39
㊶	㊸	㊼	49
51	㊻	57	㊾
㊿	63	㋇	69

Sut i Ddarganfod Rhifau Cysefin

Dull syml iawn

1) GAN FOD POB RHIF CYSEFIN (sy'n uwch na 5) YN DIWEDDU AG 1, 3, 7 NEU 9, yna i ddarganfod rhif cysefin rhwng 70 ac 80, yr unig bosibiliadau yw: 71, 73, 77 a 79

2) Nawr RHANNWCH BOB UN Â 3 AC Â 7 i ddarganfod pa rai ohonynt SY'N RHIFAU CYSEFIN. Os na fydd y rhif yn rhannu'n union â 3 nac â 7 yna mae'n rhif cysefin.

(Mae'r rheol syml hon sy'n defnyddio 3 a 7 yn unig yn iawn ar gyfer darganfod rhifau cysefin hyd at 120)

Enghraifft: *"Darganfyddwch y rhifau cysefin rhwng 70 ac 80"*

1) Yr unig bosibiliadau yw 71, 73, 77 a 79
2) Felly rydym yn ceisio rhannu 71, 73, 77 a 79 â 3 ac â 7 i weld pa rai ohonynt sy'n rhifau cysefin:

$71 \div 3 = 23.667$
$71 \div 7 = 10.143$

felly MAE 71 yn rhif cysefin
(gan ei fod yn diweddu ag 1, 3, 7 neu 9 ac nid yw'n rhannu'n union â 3 nac â 7)

$73 \div 3 = 24.333$
$73 \div 7 = 10.429$

felly MAE 73 yn rhif cysefin
(gan ei fod yn diweddu ag 1, 3, 7 neu 9 ac nid yw'n rhannu'n union â 3 nac â 7)

$79 \div 3 = 26.333$
$79 \div 7 = 11.286$

felly MAE 79 yn rhif cysefin
(gan ei fod yn diweddu ag 1, 3, 7 neu 9 ac nid yw'n rhannu'n union â 3 nac â 7)

$77 \div 3 = 25.667$
OND: $77 \div 7 = 11$
    Mae 11 yn rhif cyfan.

felly dydy 77 DDIM yn rhif cysefin, GAN EI FOD YN RHANNU'N UNION Â 7   ($7 \times 11 = 77$)

Y Prawf Hollbwysig

DYSGWCH y 3 Phrif Bwynt ar y tudalennau hyn ynglŷn â Rhifau Cysefin.

Yna cuddiwch y dudalen ac ysgrifennwch yr hyn rydych newydd ei ddysgu.

1) Gan ddefnyddio'r dull uchod, darganfyddwch yr holl rifau cysefin rhwng 80 a 100.

Cymhareb yn y Cartref

Mae llawer o gwestiynau arholiad sy'n ymddangos yn hollol wahanol i'w gilydd ond

gallwch eu hateb i gyd os defnyddiwch *Y Rheol Aur:*

RHANNU I GAEL UN, YNA LLUOSI

Enghraifft 1: "Mae 5 torth o fara yn costio £2.70. Beth fydd cost 3 torth?"

ATEB: Yn ôl *Y Rheol Aur:*

RHANNU I GAEL UN, YNA LLUOSI

sy'n golygu:

> Rhannwch y cyfanswm â 5 i ddarganfod PRIS UN DORTH, yna lluoswch â 3 i ddarganfod PRIS 3 TORTH.

Felly....   £2.70 ÷ 5 = 0.54 = 54c   (am 1 dorth)
                            × 3 = £1.62   (am 3 torth)

Enghraifft 2: "Rhannwch £200 yn ôl y gymhareb 5 : 3"

ATEB: Yn ôl *Y Rheol Aur:*

RHANNU I GAEL UN, YNA LLUOSI

Y tric gyda'r math yma o gwestiwn yw adio'r rhifau yn y GYMHAREB i ddarganfod nifer y RHANNAU: 5 + 3 = 8 rhan. Yna defnyddiwch Y Rheol Aur:

> Rhannwch y £200 ag 8 i ddarganfod faint yw UN RHAN
> yna lluoswch â 5 ac â 3 i ddarganfod faint yw 5 RHAN
>   a faint yw 3 RHAN.

Felly....   £200 ÷ 8 = £25   (i gael 1 rhan)
       £25 × 5 = £125   (i gael 5 rhan) a £25 × 3 = £75   (i gael 3 rhan)
              Felly £200 wedi'i rannu yn ôl y gymhareb 5 : 3 yw £125 : £75

Y Prawf Hollbwysig

1) Os ydy saith bar o siocled yn costio 98c, beth fydd cost 4 bar o siocled?
2) Rhannwch £1260 yn ôl y gymhareb 5 : 7.

Tarten Llygod a Llyffantod

Enghraifft 3: | *Y Rysàit*

Mae'r rysàit ganlynol ar gyfer "Tarten Llygod a Llyffantod Cwmni Llyn Llwgu" ac mae'n ddigon i fwydo 4 o bobl.

4 Llygoden newydd eu dal
2 Lyffant seimllyd brown
8 Owns o "Saws Llyn Llwgu"
12 Taten newydd eu codi
Darn mawr o grwst

"Newidiwch y mesurau hyn fel y bydd digon ar gyfer DEG o bobl."

ATEB: Yn ôl *Y Rheol Aur*:

RHANNU I GAEL UN, YNA LLUOSI

sy'n golygu:

RHANNWCH bob mesur i gael digon ar gyfer <u>un person</u>, yna LLUOSWCH i gael digon ar gyfer <u>DEG</u>.

Gan fod y rysàit ar gyfer *4 person*, RHANNWCH BOB MESUR Â 4 i ddarganfod y mesur ar gyfer *1 person* - yna LLUOSWCH HYNNY Â 10 i ddarganfod y mesur ar gyfer *10 o bobl*.

4 Llygoden ÷ 4 = <u>1 Llygoden</u> (ar gyfer un person)
            × 10 = <u>10 Llygoden</u> (ar gyfer 10 o bobl)

2 Lyffant ÷ 4 = <u>1/2 Llyffant</u> (ar gyfer un person)
            × 10 = <u>5 Llyffant</u> (ar gyfer 10 o bobl)

8 Owns o "Saws Llyn Llwgu" ÷ 4 = <u>2 Owns</u> (ar gyfer un person)
            × 10 = <u>20 Owns</u> (ar gyfer 10 o bobl)

12 Taten ÷ 4 = <u>3 taten</u> (ar gyfer un person) × 10 = <u>30 taten</u> (ar gyfer 10 o bobl)

Darn mawr o grwst ÷ 4 yna × 10 = Darn o grwst <u>ddwywaith a hanner ($2\frac{1}{2}$) yn fwy</u>.

Mewn gwirionedd, mae <u>pob mesur DDWYWAITH A HANNER ($2\frac{1}{2}$) YN FWY</u>

Y Prawf Hollbwysig

Cyfrifwch y mesur o bob un o'r cynhwysion y byddai ei angen i wneud digon o Darten Llygod a Llyffantod ar gyfer <u>8 o bobl.</u>

Arian

Mae cwestiynau ar arian yn gyfle da i chi ymarfer degolion.

Adio Dau Swm o Arian

"Beth yw £6.37 a £9.75?"

1) Adiwch y ceiniogau. 2) Adiwch y degau. 3) Adiwch y punnoedd.

£ 6.37	£ 6.37	£ 6.37
+ £ 9.75	+ £ 9.75	+ £ 9.75
2	.12	£16.12

Cofiwch roi'r pwyntiau degol o dan ei gilydd.

Felly, yr ateb yw £16.12.

Tynnu Un Swm o Arian o Swm Arall

"Mae gan Bryn £15.65. Mae'n gwario £10.99. Faint sy'n weddill ganddo?"

1) Tynnwch y ceiniogau. 2) Tynnwch y degau. 3) Tynnwch y punnoedd.

£ 15.65	£ 15.65	£ 15.65
− £ 10.99	− £ 10.99	− £ 10.99
6	.66	£ 4.66

Rhowch y pwyntiau degol o dan ei gilydd.

Felly, yr ateb yw £4.66.

Lluosi Arian

"Mae Noel yn prynu 6 phot o baent am £4.50 yr un. Beth yw cyfanswm y gost?"

1) Lluoswch y ceiniogau. 2) Lluoswch y degau. 3) Lluoswch y punnoedd.

£ 4.50	£ 4.50	£ 4.50
× 6	× 6	× 6
0	.00	£27.00

Felly, y gost yw £27.00.

Rhannu Arian

"Mae gan Siân £4.76 i'w rannu'n gyfartal rhwng ei phedwar plentyn. Faint y bydd pob un yn ei gael?"

1) Rhannwch y punnoedd. 2) Rhannwch y degau. 3) Rhannwch y ceiniogau.

$$4 \overline{)4.76} = 1.$$
$$4 \overline{)4.7^36} = 1.1$$
$$4 \overline{)4.7^36} = 1.19$$

Cofiwch ddechrau gyda'r punnoedd.

Bydd pob plentyn yn cael £1.19.

Y Prawf Hollbwysig

DYSGWCH sut i wneud cwestiynau ar arian.

Yna gwnewch y rhain:

1) £4.92 + £2.65;

2) £20.50 − £4.05;

3) £6.99 × 3;

4) £18.30 ÷ 6.

Y Fargen Orau

Un math o gwestiwn sy'n cael ei ofyn yn aml mewn arholiadau yw cymharu "gwerth am arian" 2 neu 3 o eitemau tebyg. Dilynwch *Y Rheol Aur* bob tro:

RHANNU Â'R PRIS, MEWN CEINIOGAU
(I WELD FAINT SYDD I'W GAEL AM GEINIOG)

Enghraifft

Mae'r sinema leol yn gwerthu popgorn mewn tri maint gwahanol, Maint Bach, Maint Cyffredin a Maint Teulu. Pa un o'r rhain yw'r "GWERTH GORAU AM ARIAN"?

POPGORN Godda

POPGORN Godda

POPGORN Godda

| 400g am £2.62 | 250g am £1.90 | 100g am 89c |

ATEB: Yn ôl *Y Rheol Aur*:

RHANNU Â'R PRIS, MEWN CEINIOGAU *(I WELD FAINT SYDD I'W GAEL AM GEINIOG)*

Felly cawn:

400g ÷ 262c	=	1.5g AM GEINIOG
250g ÷ 190c	=	1.3g AM GEINIOG
100g ÷ 89c	=	1.1g AM GEINIOG

Gwelwn, felly, mai'r BOCS 400g YW'R GWERTH GORAU AM ARIAN oherwydd eich bod yn cael MWY O BOPGORN AM GEINIOG.
(Byddech yn disgwyl hyn am fod y bocs yn fawr).

Gydag unrhyw gwestiwn sy'n cymharu "gwerth am arian", *RHANNWCH Â'R PRIS* (mewn ceiniogau) a'r ATEB MWYAF BOB TRO SY'N RHOI'R GWERTH GORAU AM ARIAN.

Y Prawf Hollbwysig

Llyn Llwgu Llyn Llwgu Llyn Llwgu

1) Mae "Cawl Malwod a Phys" yn cael ei werthu mewn tri maint gwahanol: tun 200g am 71c, tun 350g am £1.06 a Maint Ffermdy, sef 650g am £1.75. Cyfrifwch pa un sy'n rhoi'r gwerth gorau am arian. (A pheidiwch â dyfalu yn unig!)

Lluosi a Rhannu Heb Gyfrifiannell

Bydd rhai cwestiynau yn yr arholiad lle na chewch ddefnyddio cyfrifiannell i'w hateb. Felly, mae'n bwysig ymarfer ...

Lluosi Hir

Mae hyn yn hawdd wedi i chi weld mai enghreifftiau o luosi *byr* wedi'u hadio at ei gilydd sydd yma.

Enghraifft "Beth yw 46 × 14?"

MAE HYN YN HAWDD: 46 × 14 yw 46 × 4 a 46 × 10

1) Yn gyntaf cyfrifwch 46 × 4.
   Gallwch rannu hyn yn ddwy

$$4 \times 6 \qquad \begin{array}{r} 4\,6 \\ \times\ 1\,{}_2 4 \\ \hline 4 \end{array} \qquad a\ 4 \times 4 \qquad \begin{array}{r} 4\,6 \\ \times\ 1\,4 \\ \hline 1\,8\,4 \end{array}$$

2) Ychwanegwch 0 ar y llinell nesaf
   (i baratoi ar gyfer lluosi â rhif yn y golofn 1**0**au)

$$\begin{array}{r} 4\,6 \\ \times\ 1\,4 \\ \hline 1\,8\,4 \\ 0 \end{array}$$

3) Yna cyfrifwch 46 × 10

$$1 \times 6 \qquad \begin{array}{r} 4\,6 \\ \times\ 1\,4 \\ \hline 1\,8\,4 \\ 6\,0 \end{array} \qquad 1 \times 4 \qquad \begin{array}{r} 4\,6 \\ \times\ 1\,4 \\ \hline 1\,8\,4 \\ 4\,6\,0 \end{array}$$

4) Yn olaf, adiwch:

$$\begin{array}{r} 184 \\ a\ \ 460 \\ \hline i\ gael\ \ 644 \end{array}$$

Rhannu

Mae *dau* ddewis:

NAILL AI 1) **DYSGWCH SUT I WNEUD HYN YN IAWN**

Enghraifft "Beth yw 864 ÷ 8?"

$$\begin{array}{r} 1 \\ 8\,\overline{)\,8\,6\,4} \end{array} \qquad \begin{array}{r} 1\,0 \\ 8\,\overline{)\,8\,6^{6}4} \end{array} \qquad \begin{array}{r} 1\,0\,8 \\ 8\,\overline{)\,8\,6^{6}4} \end{array}$$

8 wedi'i rannu ag 8 yw 1 | Dydy 6 ddim yn rhannu ag 8, felly cariwch y 6 ymlaen | 64 wedi'i rannu ag 8 yw 8

NEU 2) **AMCANGYFRIFWCH A DEFNYDDIWCH LUOSI I WIRIO**

Enghraifft "Beth yw 92 ÷ 2?" (Gweler tud. 2)

Triwch 20	4 × 20 = 80	= rhy fach
Triwch 25	4 × 25 = 100	= rhy fawr
Triwch 23	4 × 23 = 92	YN UNION.

Felly 92 ÷ 4 = 23

Y Prawf Hollbwysig

DYSGWCH y dulliau uchod ar gyfer lluosi a rhannu.

Gwnewch y rhain *heb* gyfrifiannell:

1) 28 × 12;   2) 56 × 11;   3) 104 × 8;
4) 96 ÷ 8;   5) 242 ÷ 2;   6) 84 ÷ 7.

Cwestiynau Cyffredin gyda × *a* ÷

Enghraifft 1

"Mae Siop Flodau Fflur yn gwerthu begonias am £2.50 yr un. Beth fyddai cost 16 begonia?"

16 × £2.50 = 8 × £5.00
         = £40

Enghraifft 2

"Pris tusw o diwlips yw £1.95. Beth fyddai cost 4 tusw?"

1 tusw	= £2	minws 5c
Felly 4 tusw	= 4×£2	minws 4×5c
	= £8	minws 20c
	= £7.80	

Enghraifft 3

"Faint o diwlips y gallech eu prynu â £12?"

Mae £2 yn prynu 1 tusw gyda 5c o newid.

Felly mae 6 × £2 yn prynu 6 thusw gyda 6 × 5c o newid.

Sy'n golygu bod £12 yn prynu 6 thusw gyda 30c o newid.

Gan nad yw'r 30c o newid yn ddigon i brynu tusw arall, *6* yw'r mwyaf a gewch.

Enghraifft 4

"Beth fyddai cost 2 fegonia a 2 dusw o diwlips?"

Cost 2 fegonia a 2 dusw o diwlips yw:

  2×£2.50 + 2×£1.95

sydd yr un peth â   £5 + 2×£2 minws 2×5c

       = £5 + £4 minws 10c

       = £8.90

Y Prawf Hollbwysig

Atebwch y cwestiynau hyn *heb* gyfrifiannell.

1) Mae Pensiliau Posh yn costio £1.49 yr un. Beth fyddai cost pum pensil?

2) Pris Cracers Caracas yw £1.10 y pecyn. Faint o becynnau y gallwch eu prynu am £12?

Botymau Cyfrifiannell 1

Peth diflas yw ceisio defnyddio cyfrifiannell heb fawr o lwyddiant a gorfod pwyso'r botwm diddymu o hyd. Dyma ychydig o driciau i'ch helpu i arbed amser - a hefyd arbed y cyfrifiannell!

1)

1) *Pwyswch y botymau yn araf ac yn ofalus*

- gall un camgymeriad bach achosi i chi golli llawer o farciau.

2) *Gwyliwch y dangosydd wrth i chi bwyso pob botwm*

i wneud yn siŵr eich bod wedi ei bwyso - mae llawer o gamgymeriadau yn cael eu hachosi drwy beidio â phwyso botymau'n gywir.

3) *Pwyswch* = *ar ddiwedd pob cyfrifiad*

Bydd pobl yn aml yn cael yr ateb anghywir oherwydd eu bod yn anghofio pwyso = ar y diwedd.

2)

C *(LLED-DDIDDYMU) a* **AC** *(DIDDYMU POPETH)*

(Fel arall, gyda **on/c** neu **CE/C**, pwyswch UNWAITH i *led-ddiddymu* a DWYWAITH i *ddiddymu popeth*.)

Peidiwch â llithro i'r arfer o bwyso'r botwm **AC** bob tro y bydd pethau'n dechrau mynd o chwith. Mae'r botwm lled-ddiddymu yn well O LAWER os ydych yn gwybod yr hyn mae'n ei wneud:

DIM OND Y RHIF YR YDYCH YN EI ROI I MEWN Y MAE'N EI DDIDDYMU.

Mae popeth arall yn aros fel y mae. Os dysgwch ddefnyddio **C** yn hytrach na **AC** ar gyfer cywiro rhifau anghywir, byddwch yn HANERU yr amser a dreuliwch yn pwyso botymau'r cyfrifiannell!

3)

Y botymau ffwythiant HUNANDDIDDYMU: **+** **−** **×** **÷**

Y peth i'w gofio yma yw bod y pedwar botwm hyn yn fotymau HUNANDDIDDYMU. Os pwyswch **+** ac yna **÷**, bydd eich cyfrifiannell yn anwybyddu'r botwm **+** ac yn gweithredu **÷** yn ei le.

Felly: *Os pwyswch y botwm ffwythiant anghywir, anwybyddwch hynny, pwyswch yr un cywir, ac EWCH YMLAEN.* Gwnewch **9** **+** **÷** **×** **−** **6** **=** i weld pa mor dda mae'n gweithio.

4)

Y Botwm PLWS/MINWS **+/−**

Yr hyn mae'r botwm hwn yn ei wneud yw gwrthdroi arwydd + neu - Y RHIF SYDD AR Y DANGOSYDD YN BAROD. Fe'i defnyddir yn bennaf ar gyfer *bwydo rhifau negatif i mewn*. Er enghraifft i gyfrifo -6 × -2 byddech yn pwyso

6 **+/−** **×** **2** **+/−** **=**   (sy'n rhoi 12 [ac nid -12])

Sylwch y byddwch yn pwyso **+/−** *AR ÔL i chi roi'r rhif i mewn.*

Botymau Cyfrifiannell 2

5) *Botwm yr AIL FFWYTHIANT* [SHIFT] *(neu* [2nd] *neu* [INV] *)*

Mae'r rhan fwyaf o fotymau cyfrifiannell yn gweithredu *2 ffwythiant*.
Mae'r prif ffwythiant ar y botwm ei hun, a'r 2il ffwythiant wedi'i ysgrifennu *uwchben* y botwm.

I ddefnyddio 2il ffwythiant unrhyw fotwm pwyswch [SHIFT] yn gyntaf.
(neu [2nd] neu [INV] os dyna sydd ar eich cyfrifiannell)

(Ar rai cyfrifianellau, efallai y bydd *3 ffwythiant* i lawer o'r botymau. Yn ffodus mae cod lliw arnynt, felly bydd y lliw ar y botwm [SHIFT] (neu [2nd] neu [INV]) yn cyfateb i liw'r 2il ffwythiant sydd wedi'i ysgrifennu uwchben botymau eraill.)

6) *Dau Dric ar gyfer Darllen Atebion y Dangosydd*

1) *Rhoi "× 10" i mewn ar gyfer Rhifau sy'n rhy fawr!*

Weithiau bydd eich ateb yn rhy fawr i ddangosydd y cyfrifiannell ac felly cewch ddau rif bach ychwanegol i fyny ar ochr dde'r dangosydd, fel hyn:

$$7.532^{11}$$

I roi hwn fel ateb cywir, *mae'n rhaid i chi gofio rhoi "× 10" yn eich ateb* fel hyn: 7.532×10^{11} Felly peidiwch ag anghofio!

2) *Cofio bod eich ateb mewn £ a Cheiniogau*

Mae'r tric arall ar gyfer atebion sydd mewn £ a cheiniogau.
Mae'n rhaid i chi feddwl yn ofalus beth yw ystyr y ffigurau yn y dangosydd.
Edrychwch ar yr enghreifftiau hyn:

Mae 2.5 yn golygu mai'r ateb yw £2.50

Mae 0.37 yn golygu mai'r ateb yw 37c

Mae 8.63621 yn golygu mai'r ateb yw £8.64

Y Prawf Hollbwysig

1) Beth yw'r ddau fath gwahanol o ddiddymu? Eglurwch y gwahaniaeth rhyngddynt.
2) Beth mae'r botwm [SHIFT] yn ei wneud? Pryd mae angen ei ddefnyddio?
3) Beth fyddech yn ei bwyso i gyfrifo -5 × -3?
4) Sut y dylech ysgrifennu hyn: 9.16^{14}
5) Faint o £ a cheiniogau yw hyn: 3.0964

18

Defnyddio Fformiwlâu

<u>DYDY'R RHAIN DDIM YN ANODD</u> os dilynwch y camau a gwneud pethau yn nhrefn CORLAT.

Dull Cam wrth Gam

1) <u>YSGRIFENNWCH Y FFORMIWLA</u>

2) <u>YSGRIFENNWCH Y FFORMIWLA ETO YN UNION A DAN Y FFORMIWLA GYNTAF</u> ond y tro hwn â *rhifau yn lle'r llythrennau*.

3) <u>CYFRIFWCH GAM WRTH GAM</u>
Defnyddiwch CORLAT ac *ysgrifennwch werthoedd ar gyfer pob rhan* wrth fynd ymlaen.

4) <u>PEIDIWCH Â CHEISIO GWNEUD Y CYFAN AR UN TRO AR EICH CYFRIFIANNELL</u> - <u>dull gwirion</u> sy'n methu <u>o leiaf 50% o'r amser</u>.

<u>Enghraifft:</u>
Os yw $P = 2(L + w)$, darganfyddwch P pan fo $L = 2$ ac $w = 5$

Cam 1) $P = 2(L + w)$

Cam 2) $= 2(2 + 5)$

Cam 3) $= 2(7)$
    $= 2 \times 7$
    $= \underline{14}$

CORLAT

Mae'r gair CORLAT yn dangos y drefn gywir i gyfrifo pethau mewn unrhyw fformiwla. Mae'r llythrennau'n golygu:

Cromfachau, O flaen Rhannu, Lluosi, Adio, Tynnu

ac ystyr hynny yw:
Cyfrifwch unrhyw beth sydd o fewn cromfachau gyntaf, yna unrhyw rifau sydd angen eu *rhannu*, yna unrhyw rai sydd angen eu *lluosi*, yna gwnewch yr *adio* ac yna y *tynnu*.

Yr Un Anodd

"Cyfrifwch werth $\frac{12 + 48}{15 \times 3}$ "

Peidiwch â phwyso 12 + 48 ÷ 15 × 3 = - byddai hynny'n *hollol anghywir*.

Bydd y cyfrifiannell yn meddwl eich bod yn golygu $12 + \frac{48}{15} \times 3$ oherwydd y bydd y cyfrifiannell yn gwneud y *rhannu a'r lluosi* CYN gwneud yr *adio* (CORLAT).
<u>MAE'N RHAID I CHI EI GYFRIFO GAM WRTH GAM</u>, y top a'r gwaelod gyntaf, ac ysgrifennu'r atebion, yna rhannu, fel hyn:
$$12 + 48 = \underline{60}, \quad 15 \times 3 = \underline{45} \quad \Rightarrow \quad 60 \div 45 = \underline{1.333}...$$

Y Prawf Hollbwysig

DYSGWCH <u>4 cam y Dull Cam wrth Gam</u> ac ystyr CORLAT.

1) Cuddiwch y dudalen ac ysgrifennwch ystyr CORLAT.
2) Os yw $A = F(2 + H)$ ac $F = 3$ a $H = 4$, darganfyddwch werth A.
3) Os yw $R = 2P + 3Q$, darganfyddwch R pan fo $P = -5$, $Q = 2$.

Trefnu Degolion

Trefnu yn ôl Trefn Maint

Yn yr arholiad bydd disgwyl i chi *drefnu* rhestr o rifau degol yn ôl *trefn maint*. Mae hynny'n golygu gwybod, er enghraifft, fod 0.305 *yn fwy na* 0.0799.

Mae hyn yn hawdd pan fyddwch yn rhoi'r rhifau o dan ei gilydd ac yn sicrhau bod y pwyntiau degol yn union o dan ei gilydd.

> Gellir gweld bod 0.3050 yn *fwy* na 0.0799

> Yn union fel mae 3050 yn *fwy* na 799

Yn anffodus gall pethau fynd ychydig yn gymhleth, yn enwedig os bydd y rhestr yn hir ac os *na roddir* y rifau *o dan* ei gilydd yn daclus. Hefyd gall hyd y rhifau *amrywio* cryn dipyn. Os oes amheuaeth, felly, defnyddiwch:

Y Dull 5 Cam o Drefnu Degolion

Enghraifft: *"Trefnwch y canlynol yn ôl trefn maint gan ddechrau gyda'r lleiaf:*
0.708   1.020   0.215   0.00987   0.03006".

Cam 1:

Trefnwch nhw mewn colofn gyda'r *pwyntiau degol o dan ei gilydd*:

0.708
1.020
0.215
0.00987
0.03006

Cam 2:

Gwnewch nhw i gyd o'r *un hyd* drwy *ychwanegu unrhyw sero* sydd ei angen:

0.70800
1.02000
0.21500
0.00987
0.03006

Cam 3:

Anwybyddwch y pwyntiau degol a thrin y rhifau fel *rhifau cyfan*:

70800
102000
21500
987
3006

Cam 4:

Rhowch nhw mewn trefn:

987
3006
21500
70800
102000

Y Cam Olaf:

Rhowch y *pwyntiau degol yn ôl i mewn* a *phob sero oedd ar ddechrau'r rhifau*:

0.00987
0.03006
0.215
0.708
1.020

Y Prawf Hollbwysig

DYSGWCH y dull 5 cam ar y dudalen hon.

Yna defnyddiwch y dull hwn i drefnu'r rhestr ganlynol:
1.03,   0.792,   0.0591,   0.006,   0.082,   0.00049.

Prawf Adolygu ar gyfer Adran 1

Defnyddiwch yr holl ddulliau rydych wedi'u dysgu yn Adran 1 i ateb y cwestiynau hyn.

Prawf Adolygu

1) Ysgrifennwch y rhif hwn *mewn geiriau*: 4,216,386

2) Rhowch y rhifau hyn *yn ôl trefn maint*:
   144   26   1,212   4   48   612   842   2006

3) *Heb* ddefnyddio cyfrifiannell, cyfrifwch:
   a) 26.8×100
   b) 340×1000
   c) $648 \div 1000$
   d) 30×20
   e) $4000 \div 20$

4) Beth yw *Lluosrifau*? Rhestrwch *chwe lluosrif cyntaf* 10 a *chwe lluosrif cyntaf* 3.

5) Beth yw *Ffactorau*? Darganfyddwch *holl ffactorau* 24.

6) O'r rhestr hon: 9,   18,   1,   25,   63,   100,   36,   16
   dewiswch   a) y *rhifau sgwâr*
                     b) yr *eilrifau*
                     c) yr *odrifau*

7) Beth yw *EILRIFAU*? Ysgrifennwch *y deg cyntaf*.

8) Beth yw *ODRIFAU*? Ysgrifennwch *y deg cyntaf*.

9) a) Beth yw *RHIFAU SGWÂR*? Ysgrifennwch *y deuddeg cyntaf*.
   b) Beth yw *RHIFAU CIWB*? Ysgrifennwch *y deg cyntaf*.

10) Beth yw *RHIFAU CYSEFIN*? Ysgrifennwch *y chwe chyntaf*.

11) Pa *reolau* sydd ar gael ar gyfer darganfod *rhifau cysefin* (llai na 120)? *Pa rai o'r canlynol* sy'n rhifau cysefin?
   5,   0,   11,   23,   7,   29,   14,   19,   15,   17,   13

Prawf Adolygu ar gyfer Adran 1

12) Beth yw'r _Rheol Aur_ ar gyfer <u>Cymhareb yn y Cartref</u>?

13) Os ydy 7 peint o laeth yn costio £2.66, _beth fydd cost 5 peint_?

14) Os ydy 9 pecyn o jeli oren yn pwyso 675g, _beth fydd pwysau 4 jeli_?
(Cofiwch: "Rhannu i gael un, yna lluosi")

15) _Heb_ ddefnyddio cyfrifiannell, cyfrifwch:
   a) £4.75 + £2.50; b) 6 × £7.99; c) 10 × £12.25.

16) Beth yw'r _Rheol Aur_ ar gyfer darganfod y
"Fargen Orau"?
Mae dau bîn-afal o faint gwahanol ar werth mewn siop:
Pa un fyddech chi'n _disgwyl_ yw'r _gwerth gorau_ am yr
arian? Gwnewch _gyfrifiad cyflym_ i weld pa un yw'r "Fargen Orau".

17) _Heb ddefnyddio cyfrifiannell_, cyfrifwch 43 × 28, yna rhannwch yr ateb
â 28 a gwiriwch eich bod yn dychwelyd i 43.

18) Beth yw'r ddau _fotwm diddymu_ gwahanol ar eich cyfrifiannell?

19) Beth mae'r _ddau fath_ o ddiddymu yn ei wneud?

20) Beth ddylech chi ei wneud os pwyswch ➕ _drwy gamgymeriad_, yn lle
▦ ?

21) Pa fotwm yw _botwm yr 2il ffwythiant_? Beth mae'n ei wneud?

22) Sut y byddech yn _bwydo_ y rhif _-6_ i mewn i'r cyfrifiannell?

23) _Cyfrifwch_ -6 × -5 â'ch cyfrifiannell.

24) Sut y byddech yn _ysgrifennu hwn_ fel ateb: 2.4^{11}

25) Beth yw'r ateb hwn _mewn £ a cheiniogau_: 5.324

26) Beth yw'r _PEDWAR cam_ ar gyfer cyfrifo fformiwlâu?

27) Os yw $P = 2(c + d)$, _darganfyddwch P_ pan fo $c = 1$ a $d = 6$.

28) Cyfrifwch werth $\dfrac{13+62}{40-15}$ ... _a pheidiwch â'i wneud ar frys_.

29) _Trefnwch_ yn ôl trefn esgynnol 0.5; 0.51; 0.15; 0.05; 0.55; 0.505.

OS CEWCH DRAFFERTH gydag unrhyw un o'r cwestiynau hyn, _trowch
yn ôl i'r dudalen berthnasol_ yn Adran 1 _i weld sut i ateb y cwestiwn_.

Perimedrau

Ystyr perimedr yw y pellter _yr holl ffordd o amgylch siâp 2-D_.

Darganfod Perimedrau Siapiau

I ddarganfod PERIMEDR, rydych yn ADIO HYD POB OCHR, ond ... DYMA'R UNIG FFORDD DDIBYNADWY o wneud yn siŵr eich bod yn cynnwys _pob ochr_:

1) RHOWCH SMOTYN MAWR AR UN GORNEL ac yna ewch o amgylch y siâp.

2) YSGRIFENNWCH HYD POB OCHR WRTH I CHI FYND O AMGYLCH Y SIÂP.

3) OS NAD YW HYD RHAI OCHRAU WEDI'I ROI
— mae'n rhaid i chi _eu cyfrifo_.

4) Daliwch ati hyd nes y byddwch wedi dod yn ôl at y SMOTYN.

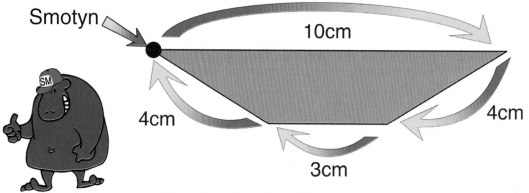

Smotyn

10cm

4cm 4cm

3cm

e.e. 10 + 4 + 3 + 4 = 21cm

Efallai y byddwch yn meddwl bod hwn yn _ddull trafferthus_, ond credwch fi, mae'n hawdd iawn 'colli' ochr. Mae'n bwysig defnyddio DULLIAU DA a DIBYNADWY ar gyfer POPETH - neu fe gollwch lawer o farciau.

Y Prawf Hollbwysig

DYSGWCH Y RHEOLAU ar gyfer darganfod perimedrau.

1) Cuddiwch y dudalen ac ysgrifennu yr hyn rydych wedi'i ddysgu.

2) Darganfyddwch berimedr y siâp a ddangosir yma:

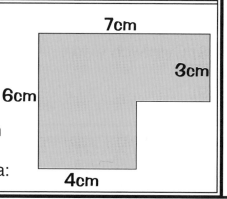

7cm

3cm

6cm

4cm

Arwynebedd

Fydd y fformiwlâu hyn ddim yn cael eu rhoi yn y papur arholiad bob amser, felly os na ddysgwch nhw cyn mynd i'r arholiad fyddwch chi ddim yn gallu ateb y cwestiynau.

1) PETRYAL

Mae arwynebedd petryal yn _hawdd_ os ydych yn gwybod eich tablau lluosi.

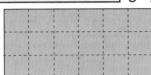

Mae 3 grŵp o 6 sgwâr yn y petryal hwn. Felly yr arwynebedd yw 3 × 6 = 18.

Yn yr arholiad, efallai na fydd y siâp yn cynnwys sgwariau, felly

DYSGWCH Y FFORMIWLA HON:

Arwynebedd petryal = Hyd × Lled

$$A = H \times Ll$$

Lled

Hyd

2) TRIONGL

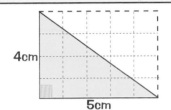

Arwynebedd y petryal
= 5 × 4 = 20cm²

Dydy cyfrif sgwariau ddim cystal ar gyfer trionglau am nad ydy'r sgwariau i gyd yn gyflawn. Ond mae _trionglau ongl sgwâr_, fel yr un a welir yma, yn hawdd. Mae'r arwynebedd yn hanner arwynebedd y petryal. Ar gyfer hwn:

$\frac{1}{2} \times 5 \times 4 = 10cm^2$

"Uchder" a "Sail" yw'r geiriau a ddefnyddir ar gyfer trionglau.

DYSGWCH Y FFORMIWLA HON:

Arwynebedd triongl = ¹/₂ × Sail × Uchder Fertigol

$$A = {}^1\!/_2 \times S \times U_F$$

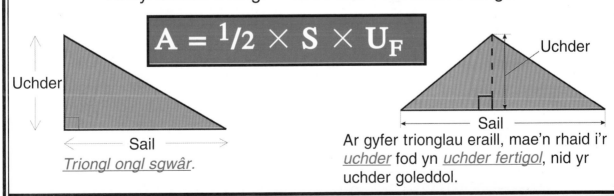

Triongl ongl sgwâr.

Ar gyfer trionglau eraill, mae'n rhaid i'r _uchder_ fod yn _uchder fertigol_, nid yr uchder goleddol.

Y Prawf Hollbwysig

DYSGWCH BOPETH AR Y DUDALEN HON

Yna cuddiwch y dudalen ac ysgrifennu cymaint ag y gallwch oddi ar eich cof. Yna triwch eto.

Arwynebedd

Mae <u>GWYBOD Y FFORMIWLÂU</u> ar y dudalen flaenorol yn *gam cyntaf pwysig*, ond rhoddir yma ychydig o bethau eraill y bydd angen i chi eu gwybod <u>OS YDYCH AM GAEL Y CWESTIYNAU'N GYWIR</u>:

Nodwch y siâp a defnyddiwch y fformiwla gywir

Mae llawer o bobl yn <u>mynd ati'n syth</u> gan ddefnyddio'r fformiwla gyntaf a ddaw i'w meddwl - *heb ystyried y gallen nhw fod wedi dewis y fformiwla anghywir.*

<u>TRIONGL</u> yw hwn, felly *allwch chi ddim defnyddio'r fformiwla* ar gyfer petryal sef:
ARWYNEBEDD = HYD × LLED

Mae'n rhaid defnyddio'r *fformiwla* ar gyfer *triongl*:

"ARWYNEBEDD = ½ × SAIL × UCHDER FERTIGOL"

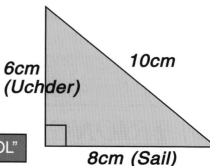

6cm (Uchder)   **10cm**

8cm (Sail)

CYLCHOEDD

Mae *dwy fformiwla* ar gyfer *cylchoedd*.

PEIDIWCH Â'U CYMYSGU!

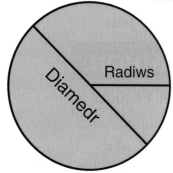

Diamedr   Radiws

<u>CYLCHEDD</u> = y pellter o amgylch y tu allan i gylch

1) ARWYNEBEDD cylch = π × (radiws)²

$$A = \pi \times r^2$$

e.e. os yw'r radiws yn 4cm,
A = 3.14 × (4 × 4)
= <u>50cm²</u>

2) CYLCHEDD = π × Diamedr

$$C = \pi \times D$$

e.e. os yw'r radiws yn 4cm
Yna'r diamedr = 8cm
C = 3.14 × 8
= <u>25.12cm</u>

Y Prawf Hollbwysig   <u>DYSGWCH Y FFORMIWLÂU AR GYFER CYLCHOEDD.</u>

Yna cuddiwch y dudalen ac ysgrifennwch nhw. Yna triwch eto.

Arwynebedd - Cwestiynau Cyffredin

Peidiwch â defnyddio'r cyfrifannell *yn syth*

Efallai eich bod yn eich *twyllo eich hun* ei bod yn *"cymryd gormod o amser"* i ysgrifennu eich gwaith cyfrifo - ond pam *colli marciau mewn cwestiwn hawdd*?

Cymharwch y ddau ateb hyn ar gyfer darganfod arwynebedd y triongl gyferbyn:

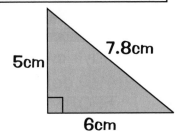

ATEB 1: 32   <u>30</u>   X

Dydy <u>ATEB 1</u> ddim yn cael <u>MARC O GWBL</u> - mae 30 yn ateb anghywir a does dim arall y gellir rhoi marciau amdano.

ATEB 2: A = ½ × S × U ✓
= ½ × 6 × 5 ✓
= <u>15 cm²</u> ✓

Yn <u>ATEB 2</u> mae *3 cham ac mae pob cam yn ennill marciau* - felly hyd yn oed pe bai'r ateb yn anghywir, byddech yn dal i gael y rhan fwyaf o'r marciau!

Wrth gwrs, pan fyddwch yn *ysgrifennu eich ateb gam wrth gam*, gallwch weld yr hyn rydych yn ei wneud *a chewch chi ddim yr ateb anghywir yn y lle cyntaf* - triwch hyn y tro nesaf. Chi fydd ar eich ennill.

Dangoswch *eich* gwaith cyfrifo

1) <u>Ysgrifennwch y fformiwla neu'r dull</u>:   A = ½ × S × U   ✓
2) <u>Ysgrifennwch y rhifau yn lle'r llythrennau</u>:   = ½ × 6 × 5   ✓
3) YNA <u>cyfrifwch yn ofalus</u> gan ddefnyddio'ch cyfrifiannell = <u>15 cm²</u>   ✓

Cofiwch, rydych yn debygol o gael un marc ar gyfer pob cam, fel yn ATEB 2 uchod ...

<u>Os penderfynwch eich bod yn RHY GLYFAR</u> neu'n <u>RHY BRYSUR</u> i drafferthu i ddangos eich gwaith cyfrifo, pob lwc i chi - bydd ei angen arnoch chi!

Y Prawf Hollbwysig

DYSGWCH Y RHEOLAU AR GYFER DARGANFOD ARWYNEBEDD SIÂP.

Yna darganfyddwch arwynebedd y 2 siâp hyn - a gwnewch yn siŵr eich bod yn dilyn y rheolau rydych newydd eu dysgu!

1)
3cm
5cm

2)
4m
6m

3) Arwynebedd=18m²
Darganfyddwch yr ochr arall.
6cm
?

4) Arwynebedd=24cm²
Darganfyddwch yr ochr arall.
3cm
?

Cwestiynau ar Gylchoedd

Y *Penderfyniad Mawr*:

"Pa un o'r fformiwlâu cylch y dylwn ei defnyddio?"

1) Os ydy'r cwestiwn yn gofyn am "arwynebedd y cylch",
   RHAID **defnyddio'r**
   FFORMIWLA AR GYFER ARWYNEBEDD: $A = \pi \times r^2$

2) Os ydy'r cwestiwn yn gofyn am "gylchedd" (y pellter o amgylch y cylch)
   RHAID **defnyddio'r**
   FFORMIWLA AR GYFER CYLCHEDD: $A = \pi \times D$

COFIWCH nad yw'n gwneud *dim gwahaniaeth* p'un ai'r *radiws* neu'r *diamedr* sy'n cael ei roi i chi, mae'n hawdd iawn cyfrifo'r llall - mae'r diamedr bob amser DDWYWAITH y radiws.

Enghraifft 1:

"Darganfyddwch gylchedd ac arwynebedd y cylch a ddangosir isod."

ATEB:

Radiws = 5cm, felly Diamedr = 10cm (hawdd!)

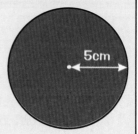

Y fformiwla ar gyfer cylchedd yw:
$C = \pi \times D$, felly
$C = 3.14 \times 10$
$= 31.4cm$

Y fformiwla ar gyfer arwynebedd yw:
$A = \pi \times r^2$
$= 3.14 \times (5 \times 5)$
$= 3.14 \times 25 = 78.5cm^2$

Enghraifft 2:

Yr hen gwestiwn cyfarwydd am "Olwyn Beic":

Dyma gwestiwn cyffredin iawn mewn arholiadau.
"Sawl gwaith y bydd olwyn â diamedr 1.1m yn troi wrth deithio 20m?"

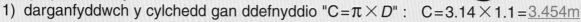

ATEB:
Mae pob troad llawn yn symud yr olwyn *un cylchedd llawn* ar hyd y llawr, felly
1) darganfyddwch y cylchedd gan ddefnyddio "$C = \pi \times D$": $C = 3.14 \times 1.1 = 3.454m$
2) yna darganfyddwch sawl gwaith mae hyn yn ffitio i'r pellter a deithiwyd, drwy rannu: h.y. $20m \div 3.45m = 5.79$ felly yr ateb yw 5.8 troad.

Manylion Ychwanegol am Gylchoedd

1) π "Rhif sydd Ychydig yn Fwy na 3"

Y peth pwysig i'w gofio yw bod π (sef pei) yn edrych yn gymhleth am ei bod yn llythyren o'r wyddor Roeg. Ond yn y pen draw, nid yw'n ddim ond _rhif cyffredin_ (3.14159...) sy'n cael ei dalgrynnu i 3 neu 3.14

(yn dibynnu ar ba mor fanwl gywir rydych am fod).

A dyna'r cwbl ydyw: RHIF SYDD YCHYDIG YN FWY NA 3.

2) Mae'r Diamedr DDWYWAITH y Radiws

Mae'r DIAMEDR yn mynd _ar draws_ y cylch.

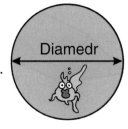

Diamedr

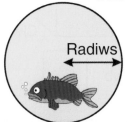

Radiws

Mae'r RADIWS yn mynd _hanner ffordd_ yn unig ar draws y cylch.

Cofiwch: mae'r DIAMEDR UNION DDWYWAITH Y RADIWS

Enghreifftiau:
Os yw'r radiws yn 3cm, mae'r diamedr yn 6cm.
Os yw'r radiws yn 10m, mae'r diamedr yn 20m.
Os yw D = 8cm, mae r = 4cm.
Os yw'r diamedr = 4mm, mae'r radiws = 2mm.

Enghraifft:

"Mae cylch â D = 5cm yn cael ei lunio y tu mewn i sgwâr fel eu bod yn cyffwrdd. Darganfyddwch arwynebedd y sgwâr ac arwynebedd y cylch."

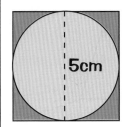

5cm

Yn gyntaf darganfyddwch arwynebedd y cylch:
$$A = \pi r^2$$
$$= 3.14 \times (2.5 \times 2.5) \quad \text{gan fod } r = \tfrac{1}{2}D$$
$$= 19.625$$
Arwynebedd y cylch = 19.6cm².

Mae'n rhaid i hyd ochrau'r sgwâr fod yn 5cm (edrychwch ar y diagram i weld a ydych yn cytuno). Felly,   Arwynebedd y sgwâr = 5 × 5
= 25cm².

Fel y byddech yn ei ddisgwyl, mae arwynebedd y sgwâr ychydig yn fwy nag arwynebedd y cylch.

Y Prawf Hollbwysig

DYSGWCH YR HOLL BRIF BWYNTIAU ar y ddwy dudalen hyn. Maen nhw'n _bwysig iawn_.

Yna cuddiwch y tudalennau a gweld a allwch eu hysgrifennu.
1) Radiws bwrdd crwn yw 25cm. Darganfyddwch ei arwynebedd a'i gylchedd gan ddefnyddio'r dulliau rydych newydd eu dysgu. Cofiwch ddangos eich holl waith cyfrifo.
2) Sawl troad y bydd cylch â diamedr 1m yn ei wneud os bydd yn rholio 628m?

Solidau a Rhwydi

Mae angen i chi wybod ystyr *Wyneb*, *Ymyl* a *Fertig*:

Fertig (cornel)

Wyneb

Ymyl

RHWYD yw
  SIÂP SOLET WEDI'I AGOR ALLAN YN FFLAT.
    Dyma'r 4 y bydd angen i chi eu gwybod yn dda ar gyfer yr arholiad.

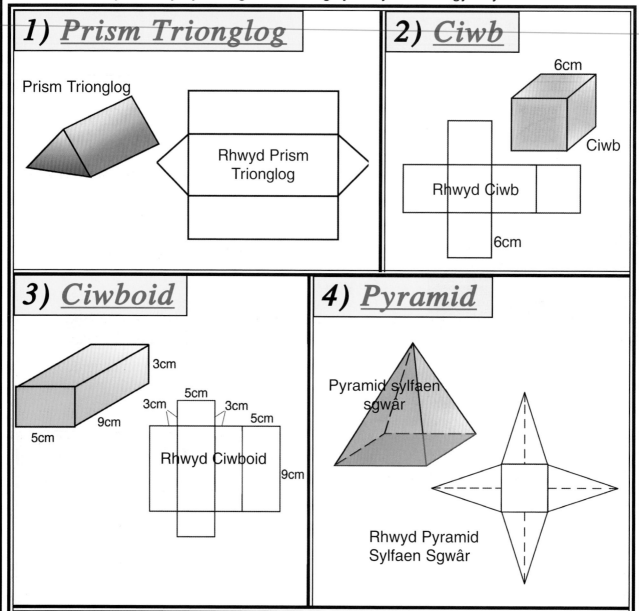

1) *Prism Trionglog*

Prism Trionglog

Rhwyd Prism
Trionglog

2) *Ciwb*

6cm

Ciwb

Rhwyd Ciwb

6cm

3) *Ciwboid*

3cm

3cm   5cm   3cm

9cm   5cm

5cm

Rhwyd Ciwboid

9cm

4) *Pyramid*

Pyramid sylfaen
sgwâr

Rhwyd Pyramid
Sylfaen Sgwâr

Cyfrifo Arwynebedd Rhwyd

Efallai y gofynnir i chi lunio un o'r rhwydi ar y dudalen hon. Efallai hefyd y gofynnir i chi gyfrifo ei harwynebedd. Dyma'r camau i'w dilyn:

1) Cyfrifwch arwynebedd pob un o'r PETRYALAU a'r TRIONGLAU AR WAHÂN.
2) Yna ADIWCH NHW I GYD. Triwch hyn ar gyfer y ciwb uchod.

ADRAN 2 - SIAPIAU

Cyfaint (Cynhwysedd)

CYFEINTIAU - MAE'N RHAID I CHI DDYSGU'R RHAIN HEFYD!

1) CIWB

Cyfaint Ciwb = Ymyl × Ymyl × Ymyl
= (Ymyl)³

(Y gair arall am gyfaint yw CYNHWYSEDD)

$$C = Y \times Y \times Y$$

neu

$$C = Y^3$$

Y
Y
Y

2) Ciwboid (Bloc Petryal)

Cyfaint Ciwboid = Hyd × Lled × Uchder

Uchder

$$C = H \times Ll \times U$$

Hyd

Lled

Y Prawf Hollbwysig

DYSGWCH y 2 fformiwla cyfaint, yna cuddiwch nhw a'u hysgrifennu oddi ar eich cof.

1) Faint o giwbiau bach sydd yn y ciwboid hwn?

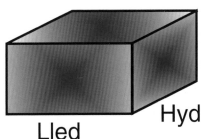

2) Beth yw cyfaint y bocs hwn?

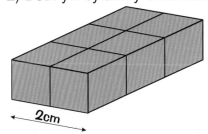

2cm

3) Darganfyddwch gyfaint ciwb mawr sydd â'i ochrau'n 2m.

4) Mesuriadau bocs yw 8cm × 4cm × 3cm. Lluniwch lun ohono a darganfyddwch ei gyfaint. Ceisiwch lunio'i rwyd.

5) Cuddiwch y dudalen gyferbyn a lluniwch y 4 solid a'u rhwydi.

Cymesuredd

Ystyr CYMESUREDD yw bod siâp neu ddarlun sy'n cael ei roi mewn GWAHANOL SAFLEOEDD yn dal i EDRYCH YN UNION YR UN FATH. Mae TRI MATH o gymesuredd.

1) *Cymesuredd Llinell*

Yma gallwch lunio LLINELL DDRYCH (neu fwy nag un) ar draws darlun a *bydd y ddwy ochr (o boptu'r llinell) yn plygu'n union ar ei gilydd*.

| 1 LLINELL CYMESUREDD | 2 LINELL CYMESUREDD | DIM LLINELL CYMESUREDD | 1 LLINELL CYMESUREDD | 3 LLINELL CYMESUREDD |

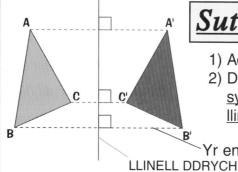

Sut i lunio adlewyrchiad:

1) Adlewyrchwch bob pwynt un ar y tro.
2) Defnyddiwch linell sy'n croesi'r llinell ddrych ar 90° ac sy'n mynd yr un pellter YN UNION yr ochr arall i'r llinell ddrych, fel y dangosir.

Yr enw ar linell sy'n croesi ar 90° yw *perpendicwlar*.

LLINELL DDRYCH

2) *Cymesuredd Plân*

Mae Cymesuredd Plân yn ymwneud â SOLIDAU 3-D.
Yn union fel y gall siapiau fflat gael llinell ddrych, gall gwrthrychau solet 3-D gael plân cymesuredd.

Gellir llunio arwyneb drych plân drwy'r solid, *ond mae'n rhaid i'r siâp fod yn union yr un fath ar ddwy ochr y plân* (h.y. delweddau drych), fel y rhain:

Planau Cymesuredd

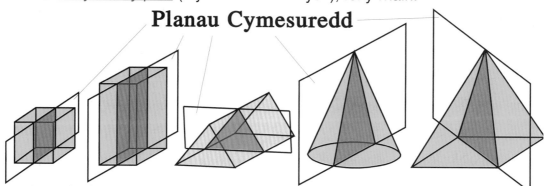

Mae gan y siapiau hyn i gyd LAWER MWY O BLANAU CYMESUREDD, ond un yn unig sydd wedi'i lunio yma ar gyfer pob siâp. Fel arall byddai gormod o linellau ac ni fyddai dim yn glir.

Cymesuredd

3) Cymesuredd Cylchdro

Yma gellir <u>CYLCHDROI</u> y siâp neu'r darlun i wahanol safleoedd a bydd yn <u>edrych yr un fath yn union</u>.

Trefn 1

Trefn 2

Trefn 3

Trefn 4

Mae <u>TREFN Y CYMESUREDD CYLCHDRO</u> yn ffordd o ddweud:
"NIFER Y SAFLEOEDD GWAHANOL LLE MAE'R SIÂP YN EDRYCH YR UN FATH."

E.e. dylech ddweud fod gan y siâp S uchod *"Gymesuredd Cylchdro trefn 2"*,
OND ... pan fo gan siâp <u>1 SAFLE YN UNIG</u> gallwch ddweud *naill ai "Mae ganddo Gymesuredd Cylchdro trefn 1" neu "Does ganddo DDIM Cymesuredd Cylchdro".*

Papur Dargopïo
— mae hwn yn gwneud cymesuredd lawer yn haws bob amser

1) Ar gyfer <u>ADLEWYRCHIADAU</u>, dargopïwch un ochr o'r lluniad a'r llinell ddrych. Yna *trowch y papur drosodd a rhoi'r llinell ddrych* yn ei safle gwreiddiol.

2) Ar gyfer <u>CYLCHDROI</u>, trowch y papur dargopïo o gwmpas. Mae hyn yn dda iawn ar gyfer *darganfod canol cylchdro* (drwy gynnig a gwella) yn ogystal â *threfn y cymesuredd cylchdro*.

3) Gallwch ddefnyddio papur dargopïo yn yr <u>ARHOLIAD</u> - gofynnwch amdano neu ewch â'ch papur dargopïo eich hun.

Brithweithiau
— "Patrymau teils heb fylchau"

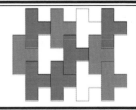

Mae'n siŵr eich bod wedi gwneud llawer o'r rhain, ond cofiwch ystyr yr enw *"brithwaith"* - *"patrwm teils heb fylchau"*:

Y Prawf Hollbwysig

1) Copïwch y llythrennau hyn a marciwch yr holl <u>linellau cymesuredd</u>. Nodwch hefyd beth yw <u>trefn cymesuredd cylchdro</u> pob un ohonynt.

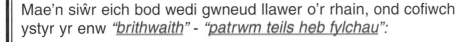

2) Copïwch y pum solid ar y dudalen gyferbyn <u>heb eu planau cymesuredd</u> (gweler tud. 33). Yna lluniwch blân cymesuredd <u>gwahanol</u> ar gyfer pob un.

(Dydy llunio gwrthrychau 3-D ddim yn hawdd, ond mae'n hwyl edrych ar ymdrechion pobl eraill.)

Y SIAPIAU Y DYLECH EU HADNABOD

Mae'r rhain yn farciau hawdd yn yr arholiad — Gwnewch yn siŵr eich bod yn eu hadnabod nhw i gyd.

1) SGWÂR

<u>4 llinell</u> cymesuredd.
Cymesuredd cylchdro <u>trefn 4</u>
<u>FEL Y DANGOSIR</u> ⇒

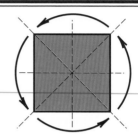

2) PETRYAL

<u>2 linell</u> cymesuredd.
Cymesuredd cylchdro <u>trefn 2</u>
<u>FEL Y DANGOSIR</u> ⇒

3) RHOMBWS

Siâp diemwnt yw rhombws ond yn yr arholiad mae'n rhaid ei alw'n rhombws bob tro.

Sgwâr wedi'i wthio i'r ochr:

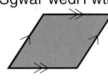 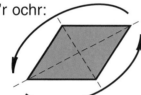 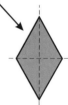

<u>2 linell</u> cymesuredd.
Cymesuredd cylchdro <u>trefn 2</u>
⇐ <u>FEL Y DANGOSIR</u>

4) PARALELOGRAM

Petryal wedi'i wthio i'r ochr - dau bâr o ochrau paralel:

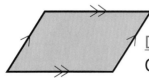 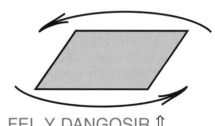

<u>DIM llinellau</u> cymesuredd.
Cymesuredd cylchdro <u>trefn 2</u>   <u>FEL Y DANGOSIR</u> ⇑

5) TRAPESIWM

Mae gan y rhain <u>un pâr</u> o ochrau paralel.

 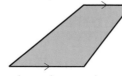 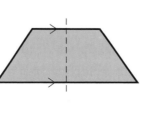

Dim ond y <u>trapesiwm isosgeles</u> sydd â llinell cymesuredd ⇒
Does dim cymesuredd cylchdro gan unrhyw un ohonynt

6) BARCUT

<u>1 llinell</u>
cymesuredd
Dim cymesuredd
cylchdro

Y Siapiau y Dylech eu Hadnabod

7) Triongl HAFALOCHROG

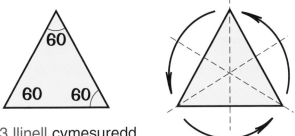

3 llinell cymesuredd
Cymesuredd cylchdro trefn 3

8) Triongl ANGHYFOCHROG

Y tair ochr yn wahanol
Y tair ongl yn wahanol

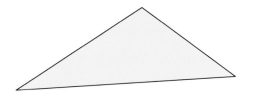

Dim cymesuredd, yn amlwg.

9) Triongl ONGL SGWÂR

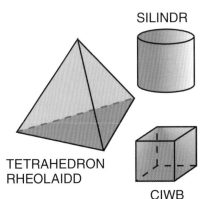

Dim cymesuredd oni bai fod yr onglau'n 45° fel y dangosir:

Yn yr achos hwn mae un llinell cymesuredd.

10) Triongl ISOSGELES

2 ochr hafal
2 ongl hafal

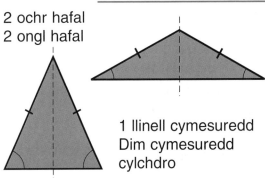

1 llinell cymesuredd
Dim cymesuredd cylchdro

11) SOLIDAU

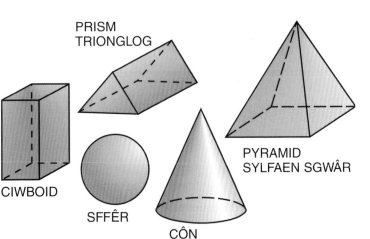

SILINDR

PRISM TRIONGLOG

TETRAHEDRON RHEOLAIDD

CIWB

CIWBOID

SFFÊR

CÔN

PYRAMID SYLFAEN SGWÂR

Y Prawf Hollbwysig

DYSGWCH bopeth ar y ddwy dudalen hyn.

Yna cuddiwch y tudalennau ac ysgrifennwch yr holl fanylion y gallwch eu cofio. Yna triwch eto.

Polygonau Rheolaidd

1) *Siâp sydd â llawer o ochrau* yw POLYGON.
2) Mewn POLYGON RHEOLAIDD *mae'r holl ochrau a'r holl onglau YR UN FAINT*.
3) Mae'r POLYGONAU RHEOLAIDD yn gyfres *ddiddiwedd* o siapiau sy'n cynnwys rhai nodweddion arbennig. *Maen nhw'n hawdd iawn i'w dysgu.*
4) *Dyma ychydig o'r rhai cyntaf ond does dim terfyn arnynt* - mae'n bosibl cael polygon 10 ochr neu 16 ochr neu 25 ochr etc. MAE'R CYMESUREDD YN AMLWG BOB AMSER.

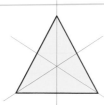

TRIONGL HAFALOCHROG

3 OCHR HAFAL: *3 llinell* cymesuredd
Cymesuredd cylchdro *trefn 3*

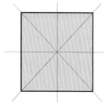

SGWÂR

4 OCHR HAFAL: *4 llinell* cymesuredd
Cymesuredd cylchdro *trefn 4*

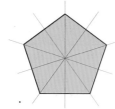

PENTAGON RHEOLAIDD

5 OCHR HAFAL: *5 llinell* cymesuredd
Cymesuredd cylchdro *trefn 5*

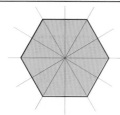

HECSAGON RHEOLAIDD

6 OCHR HAFAL: *6 llinell* cymesuredd
Cymesuredd cylchdro *trefn 6*

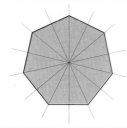

HEPTAGON RHEOLAIDD

7 OCHR HAFAL: *7 llinell* cymesuredd
Cymesuredd cylchdro *trefn 7*

Mae darn 50c yn heptagon.

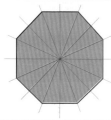

OCTAGON RHEOLAIDD

8 OCHR HAFAL: *8 llinell* cymesuredd
Cymesuredd cylchdro *trefn 8*

Polygonau Rheolaidd

Onglau Mewnol ac Allanol

Os cewch bolygon rheolaidd yn yr arholiad, mae'n siŵr y byddwch yn gorfod cyfrifo'r onglau mewnol ac allanol, felly dysgwch sut i wneud hyn!

1) Onglau Allanol

2) Onglau Mewnol

3) Mae pob triongl sector yn ISOSGELES

4) Mae'r ongl hon bob amser yr un faint â'r Onglau Allanol

DYSGWCH Y DDWY FFORMIWLA HYN:

$$\text{ONGL ALLANOL} = \frac{360°}{\text{Nifer yr Ochrau}}$$

$$\text{ONGL FEWNOL} = 180° - \text{ONGL ALLANOL}$$

COFIWCH fod yn rhaid i chi BOB AMSER ddarganfod yr *ongl Allanol* yn gyntaf, cyn y gallwch ddarganfod yr ongl Fewnol.

Enghraifft   *"Cyfrifwch onglau A a B yn y diagram isod."*

ATEB: Mae ongl A yn ongl Allanol, felly defnyddiwn y fformiwla:

Ongl Allanol = $360°/n$ = $360°/6$ = 60°   felly A = 60°

Mae Ongl B yn ONGL FEWNOL = 180° - Ongl Allanol
= 180° - 60° = 120°   (= Ongl B)

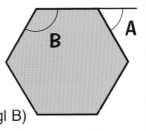

Y Prawf Hollbwysig

DYSGWCH Y DDWY DUDALEN HYN. Yna atebwch y canlynol:

1) Beth yw Polygon Rheolaidd?
2) Lluniwch Bentagon Rheolaidd a Hecsagon Rheolaidd a dangoswch eu holl linellau cymesuredd.
3) Ysgrifennwch y fformiwlâu ar gyfer Onglau Allanol a Mewnol.
4) Cyfrifwch yr onglau A a B ar gyfer y siâp a welir yma:

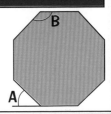

Prawf Adolygu ar gyfer Adran 2

Defnyddiwch yr holl ddulliau rydych wedi'u dysgu yn Adran 2 i ateb y cwestiynau hyn.

Prawf Adolygu

1) Beth yw _perimedr_?
   Darganfyddwch _berimedr_ y siâp hwn:

   5cm
   2cm
   3cm
   5cm
   4cm
   2cm
   7cm

2) Beth yw'r _FFORMIWLA_ ar gyfer _arwynebedd_
   a) _petryal_;   b) _triongl_?

3) Beth yw'r _DDWY FFORMIWLA AR GYFER CYLCHOEDD_?

4) _Lluniwch gylch_ a dangoswch arno y _RADIWS_, y _DIAMEDR_ a'r _CYLCHYN_.

5) Defnyddiwch y _DULL CYWIR_ i gyfrifo _arwynebedd_ y siapiau hyn:

   a)   b)   c)   d)

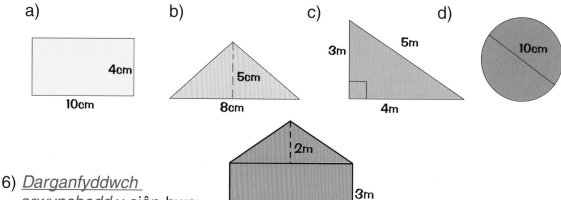

   4cm   5cm   3m   5m   10cm
   10cm   8cm   4m

   2m
6) _Darganfyddwch_
   arwynebedd y siâp hwn: 3m

   6m

7) a) _Beth yw_ π? b) Os oes gan gylch _ddiamedr o 16m_, beth yw ei _radiws_?

8) Mae gan bastai geirios _radiws o 12cm_. Darganfyddwch ei _CHYLCHEDD_.

9) Darganfyddwch _ARWYNEBEDD_ yr un bastai.

Prawf Adolygu ar gyfer Adran 2

10) Mae gan fws olwyn o _radiws 0.6m_. Sawl gwaith y bydd angen iddi gylchdroi er mwyn i'r bws _symud ymlaen 100m_?

11) Gwnewch _fraslun_ o'r pedwar solid hyn a _lluniwch y rhwyd_ ar gyfer pob un: a) _Ciwb_   b) _Ciwboid_   c) _Prism Trionglog_   d) _Pyramid_

12) _Cyfrifwch gyfaint_ y ddau wrthrych hyn:

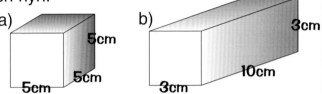

13) Beth yw'r _tri math o gymesuredd_?

14) _Lluniwch y 7 siâp_ hyn ynghyd â'u _holl linellau cymesuredd_:
   a) _Paralelogram_   b) _Rhombws_   c) _Trapesiwm_
      d) _Barcut_   e) _Triongl Isosgeles_
        f) _Triongl Hafalochrog_   g) _Triongl Ongl Sgwâr_

   Nodwch hefyd _drefn cymesuredd cylchdro_ pob un.

15) Brasluniwch y pedwar siâp hyn a dangoswch _un plân cymesuredd_ ar bob un:
   a) _Ciwboid_   b) _Prism Trionglog_   c) _Côn_   d) _Silindr_

16) Beth yw _Polygon Rheolaidd_? Lluniwch _ddau wahanol_ ac enwch nhw.

17) Dangosir _Pentagon Rheolaidd_ yma (5 ochr).
    Cyfrifwch yr onglau _ALLANOL_ a _MEWNOL_ ar ei gyfer.

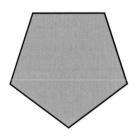

18) Beth yw _brithwaith_?
    Lluniwch un ar bapur sgwariau
    gan ddefnyddio'r siâp hwn.

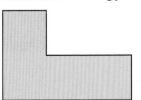

OS CEWCH DRAFFERTH gydag unrhyw un o'r cwestiynau hyn, _trowch yn ôl i'r dudalen berthnasol_ yn Adran 2 i _weld sut i ateb y cwestiwn_.

Unedau Metrig ac Imperial

Mae Marciau Hawdd i'w cael am y pwnc hwn - gwnewch yn siŵr eich bod yn eu cael.

Unedau Metrig

1) Hyd   mm, cm, m, km
2) Arwynebedd   mm², cm², m², km²
3) Cyfaint   mm³, cm³, m³, litrau, ml
4) Pwysau   g, kg, tunelli metrig
5) Buanedd   km/a, m/s

DYSGWCH Y FFEITHIAU ALLWEDDOL HYN:

1cm = 10mm   1 dunnell fetrig = 1000kg
1m = 100cm   1 litr = 1000ml
1km = 1000m   1 litr = 1000cm³
1kg = 1000g   1 cm³ = 1 ml

Unedau Imperial

1) Hyd   Modfeddi, troedfeddi, llathenni, milltiroedd
2) Arwynebedd   Modfeddi sgwâr, troedfeddi sgwâr, llathenni sgwâr, milltiroedd sgwâr
3) Cyfaint   Modfeddi ciwbig, troedfeddi ciwbig, galwyni, peintiau
4) Pwysau   Ownsys, pwysi, stonau, tunelli
5) Buanedd   mya

DYSGWCH Y RHAIN HEFYD!

1 Droedfedd = 12 Modfedd
1 Llathen = 3 Troedfedd
1 Galwyn = 8 Peint
1 Stôn = 14 Pwys (lb)
1 Pwys = 16 Owns (Oz)

Trawsnewidiadau Metrig-Imperial

MAE ANGEN I CHI DDYSGU'R RHAIN - dydyn nhw DDIM yn addo rhoi'r rhain i chi yn y papur arholiad, felly mae'n bosibl na fyddan nhw yno.

TRAWSNEWIDIADAU BRAS

1kg = 2¼ lb   1 galwyn = 4.5 litr
1m = 1 llathen (+10%)   1 droedfedd = 30cm
1 litr = 1¾ peint   1 dunnell fetrig = 1 dunnell imperial
1 fodfedd = 2.5cm   1 filltir = 1.6km
   neu 5 milltir = 8km

Y Prawf Hollbwysig

Yn y bocsys tywyll uchod mae 21 o Drawsnewidiadau. DYSGWCH NHW, yna cuddiwch y dudalen a'u hysgrifennu.

1) a) Sawl cm yw 3 metr?   b) Sawl mm yw 4cm?
2) a) Sawl kg yw 1500g?   b) Sawl litr yw 2000cm³?
3) Mae ffon yn 40 modfedd o hyd. Faint yw hyn mewn troedfeddi a modfeddi?
4) a) Yn fras, sawl llathen yw 100m?   b) Sawl cm yw 6 throedfedd?

Talgrynnu Mesuriadau

Mae gan lawer o bethau rydych yn eu mesur werth na allwch byth ei wybod yn union, *pa mor ofalus bynnag y ceisiwch eu mesur*.
Cymerwch y penbwl hwn yn enghraifft:

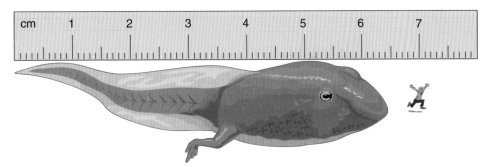

Mae ei hyd rywle *rhwng 6cm a 7cm*. Os edrychwch yn agosach gallwch ddweud ei fod *rhwng 6.4cm a 6.5cm*. *Ond allwch chi ddim bod yn fwy manwl gywir na hynny*.

Felly *rydym yn gwybod ei hyd o fewn 0.1cm*. (Ond, a dweud y gwir, pwy sydd am wybod hyd penbwl yn fwy manwl gywir na hynny?)

Pryd bynnag y byddwch yn mesur pethau fel hydoedd, pwysau, buanedd etc, bydd yn rhaid i chi roi eich ateb ar *lefel benodol o fanwl gywirdeb* oherwydd *allwch chi byth gael yr union ateb*.

Y rheol syml yw:

Rydych bob amser yn talgrynnu i'r rhif AGOSAF.

Os cymerwn ein penbwl yn enghraifft, ei hyd *i'r cm agosaf* yw *6cm* (yn hytrach na 7cm) a'i hyd *i'r 0.1cm* agosaf yw *6.4cm* (yn hytrach na 6.5cm).

Cyfraddau Postio

Mae'r busnes hwn o dalgrynnu i'r rhif agosaf yn ddigon hawdd. Ond yn yr arholiad gallech gael cwestiwn ynglŷn â chost anfon parsel ac mae'r rheolau wedyn yn hollol wahanol.

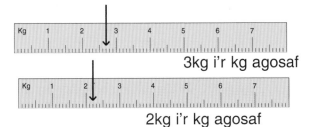

3kg i'r kg agosaf

2kg i'r kg agosaf

CYFRADDAU POSTIO	
Pwysau heb fod dros:	Pris
1kg	£2.70
2kg	£3.30
3kg	£4.10

Byddai un darlleniad yn talgrynnu i 3kg a'r llall i 2kg. Ond mae'r gyfradd postio wedi'i seilio ar "BWYSAU HEB FOD DROS..". Felly *byddai'r ddau barsel yn costio'r un faint* (£4.10) gan fod y ddau ohonynt yn fwy na 2kg ond yn llai na 3kg. Mae'n wahanol, felly byddwch yn ofalus os cewch gwestiynau fel hyn.

Talgrynnu

Pan fydd gennych <u>RHIFAU DEGOL</u> efallai y bydd yn rhaid i chi eu talgrynnu i'r *rhif cyfan* agosaf. Y drafferth yw, efallai y gofynnir i chi hefyd eu talgrynnu i <u>UN LLE DEGOL</u> (neu o bosibl i <u>DDAU</u> *le degol*). Dydy hyn ddim yn rhy anodd ond mae'n rhaid i chi ddysgu rhai rheolau ar ei gyfer:

Dull Sylfaenol

1) <u>Nodwch</u> safle'r DIGID OLAF.

2) Yna edrychwch ar y <u>digid nesaf i'r dde</u> - hwn yw'r PENDERFYNWR.

3) Os yw'r PENDERFYNWR yn <u>5 neu fwy</u>, TALGRYNNWCH Y DIGID OLAF I FYNY.
Os yw'r PENDERFYNWR yn <u>4 neu lai</u>, gadewch y DIGID OLAF fel y mae.

<u>ENGHRAIFFT</u>:   "Beth yw 3.65 i 1 Lle Degol?"

$$3.\overset{\frown}{65} \qquad = \quad \underline{3.7}$$

<u>*Y DIGID OLAF*</u> i gael ei ysgrifennu (am ein bod yn talgrynnu i 1 Lle Degol).

PENDERFYNWR

Mae'r *DIGID OLAF* yn *TALGRYNNU I FYNY* i 7 am fod y *PENDERFYNWR* yn *5 neu fwy*.

Lleoedd Degol

1) I dalgrynnu i <u>UN LLE DEGOL</u>, y DIGID OLAF fydd yr un *<u>yn union ar ôl y pwynt degol</u>*.
2) <u>DOES DIM ANGEN RHAGOR O DDIGIDAU</u> ar ôl y DIGID OLAF (dim hyd yn oed seroau).

<u>ENGHREIFFTIAU</u>

Talgrynnwch 5.14 i 1 lle degol.	ATEB: <u>5.1</u>
Talgrynnwch 2.37 i 1 lle degol.	ATEB: <u>2.4</u>
Talgrynnwch 1.08 i 1 lle degol.	ATEB: <u>1.1</u>
Talgrynnwch 3.846 i 2 le degol.	ATEB: <u>3.85</u>

Y Prawf Hollbwysig

1) DYSGWCH <u>3 Cham y Dull Sylfaenol</u> a'r <u>2 Reol Ychwanegol</u> ar gyfer Lleoedd Degol.
2) Talgrynnwch y rhifau hyn i <u>1 lle degol</u>:
   a) 2.34   b) 4.56   c) 3.31   d) 9.85   e) 0.76
3) Talgrynnwch y rhain <u>i'r rhif cyfan agosaf</u>:
   a) 1.91   b) 2.1   c) 4.5   d) 0.9   e) 5.28

ADRAN 3 - MWY O RIFAU

Talgrynnu

Talgrynnu Rhifau Cyfan

Y ffyrdd hawsaf o dalgrynnu rhif yw:

1) "I'r RHIF CYFAN agosaf"   3) "I'r CANT agosaf"
2) "I'r DEG agosaf"   4) "I'r FIL agosaf"

Dydy hyn ddim yn anodd os cofiwch y *2 REOL*:

> **1) Bydd y rhif bob amser rhwng 2 ATEB POSIBL.**
> **Dewiswch yr un SYDD AGOSAF ATO.**
>
> **2) Os bydd y rhif yn union yn y CANOL,**
> **yna TALGRYNNWCH I FYNY.**

ENGHREIFFTIAU:

1) Rhowch 581 i'r DEG agosaf.

ATEB: Mae 581 rhwng 580 a 590, ond mae'n agosach at 580.

2) Rhowch 235 i'r CANT agosaf.

ATEB: Mae 235 rhwng 200 a 300, ond mae'n agosach at 200.

3) Talgrynnwch 78.7 i'r RHIF CYFAN agosaf.

ATEB: Mae 78.7 rhwng 78 a 79, ond mae'n agosach at 79.

4) Talgrynnwch 1500 i'r FIL agosaf.

ATEB: Mae 1500 rhwng 1000 a 2000. Mewn gwirionedd mae'n *union hanner ffordd* rhyngddynt. *Felly rydym yn TALGRYNNU I FYNY* (gweler Rheol 2 uchod) i 2000.

Ffigurau Ystyrlon

> 1) PO FWYAF O FFIGURAU YSTYRLON sydd gan rif, MWYAF MANWL GYWIR ydyw.
> 2) NIFER Y FFIGURAU YSTYRLON yw NIFER Y DIGIDAU sydd gan y rhif ar ei ben blaen NAD YDYNT YN SERO.

ENGHREIFFTIAU:
3 ffigur ystyrlon sydd gan 117   2 ffig. yst. sydd gan 120   1 ffig. yst. sydd gan 300
3 ffig.yst. sydd gan 9950   1 ffig. yst. sydd gan 7000   2 ffig. yst. sydd gan 4.6

Y Prawf Hollbwysig

1) Talgrynnwch y rhain i'r 10 agosaf: a) 776   b) 594   c) 44.1   d) 27   e) 98
2) Nodwch faint o ffigurau ystyrlon sydd gan y rhifau hyn:
    a) 280   b) 718   c) 15.25   d) 1300   e) 900
3) Talgrynnwch y rhifau hyn i'r cant agosaf: a) 3626   b) 750   c) 256

Amcangyfrif a Brasamcanu

1) Amcangyfrif

Mae hyn yn eithaf hawdd. I *amcangyfrif* rhywbeth, dilynwch y camau canlynol:

> **1) TALGRYNNU POPETH i RIFAU CYFLEUS.**
> **2) Yna CYFRIFO'R ATEB gan ddefnyddio'r rhifau cyfleus hynny.**

1) Does dim angen i chi boeni am gael yr ateb yn "anghywir".
2) Dim ond *syniad bras* o faint yr ateb cywir sydd ei angen. Hynny yw, a yw tua 20 neu tua 200, er enghraifft?
3) Yn yr arholiad bydd angen *dangos pob cam a wnaethoch* er mwyn profi nad defnyddio cyfrifiannell yn unig wnaethoch chi.

ENGHRAIFFT: *"Amcangyfrifwch werth $\frac{68 + 21}{45.3}$ gan ddangos eich holl waith cyfrifo."*

Ateb: $\frac{68 + 21}{45.3} \approx \frac{70 + 20}{45} = \frac{90}{45} = 2$ (mae "$\approx$" yn golygu "bron yn hafal i")

2) Amcangyfrif Arwynebedd

Mae hyn yn haws nag y byddech yn ei feddwl. Dyma'r cwbl sy'n rhaid i chi ei wneud:

> **Talgrynnu'r hydoedd i gyd i'r RHIF CYFAN AGOSAF, ac yna cyfrifo - hawdd.**

Amcangyfrifwch arwynebedd y petryal hwn:

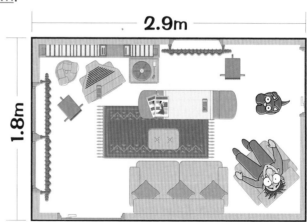

Arwynebedd y petryal yn *fras* yw 2m wrth 3m

= yn fras 6m².

2.9m

1.8m

Y Prawf Hollbwysig

1) Heb ddefnyddio cyfrifiannell, amcangyfrifwch yr ateb i hyn: $\frac{131+52}{59.3}$
2) Amcangyfrifwch arwynebedd cledr eich llaw mewn cm².
3) Beth yw arwynebedd bras llawr ystafell ddosbarth, mewn m²?

Graffiau Trawsnewid

<u>MAE'R RHAIN YN HAWDD IAWN</u>.   Weithiau gall graffiau fod yn ddiflas ond mae *Graffiau Trawsnewid* yn iawn. *Yn yr arholiad* byddwch yn debygol o gael cwestiwn ynglŷn â Graffiau Trawsnewid sy'n trawsnewid pethau fel hyn:

£ → Doleri	£ → Ewro	etc
Peintiau → Litrau	Galwyni → Litrau,	etc
Milltiroedd → Cilometrau,	mya → km/a,	etc

Mewn gwirionedd, nid yw'n bwysig beth yw'r trawsnewid, gan fod y dull yn union yr un fath bob tro - ac yn hawdd iawn ei gofio.

ENGHRAIFFT Bwysig:

<u>Mae'r graff hwn yn trawsnewid rhwng milltiroedd a chilometrau</u>

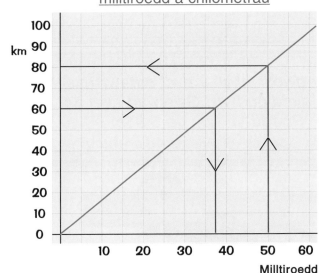

<u>2 GWESTIWN CYFFREDIN</u>:

1) <u>Sawl milltir yw 60km?</u>

ATEB: Tynnwch linell *yn syth ar draws* o "60" ar yr echelin "km" hyd nes y bydd yn *cyffwrdd â llinell* y graff. Yna ewch *yn syth i lawr* i'r echelin "milltiroedd" a darllenwch yr ateb:
<u>37.5 milltir</u>.

2) <u>Sawl km yw 50 milltir?</u>

ATEB: Tynnwch linell *yn syth i fyny* o "50" ar yr echelin "milltiroedd" hyd nes y bydd yn *cyffwrdd â llinell* y graff. Yna ewch *yn syth ar draws* i'r echelin "km" a darllenwch yr ateb: <u>80km</u>.

<u>DULL</u>

1) <u>Tynnwch linell</u> o'r <u>gwerth</u> ar un echelin.

2) Ewch ymlaen hyd nes y byddwch yn <u>cyffwrdd â LLINELL Y GRAFF</u>.

3) Yna <u>newidiwch gyfeiriad</u> a mynd yn syth at <u>yr echelin arall</u>.

4) <u>Darllenwch y gwerth newydd</u> oddi ar yr echelin. <u>Dyna'r ateb</u>.

Os cofiwch y 4 cam syml hyn bydd popeth yn iawn. Mae graffiau trawsnewid yn syml iawn.

Y Prawf Hollbwysig

DYSGWCH y 4 cam ar gyfer defnyddio Graffiau Trawsnewid.

O'r Graff Trawsnewid uchod,
1) Darganfyddwch sawl km sy'n gywerth â   a) 25 milltir;   b) 45 milltir.
2) Darganfyddwch sawl milltir sy'n gywerth â   a) 20km;   b) 50km.

Ffactorau Trawsnewid

Mae Ffactorau Trawsnewid yn ffordd dda iawn o ddelio â phob math o gwestiynau ac mae'r dull yn hawdd iawn.

Dull

1) **Darganfyddwch y** <u>Ffactor Trawsnewid</u>

   (bob amser yn hawdd)

2) <u>**Lluoswch A rhannwch â hwn**</u>

3) **Dewiswch yr** <u>ateb sy'n gwneud synnwyr</u>

Enghraifft 1:

"Go brin y gwelir ellyll y pwll enfawr (giant pond gremlin) y dyddiau hyn. Gwelwyd hwn yn ddiweddar. Ei enw yw Berwyn. Roedd yn fwy na 5.85m o hyd. Faint yw hyn mewn cm?"

"Roedd yn fwy na 5.85m o hyd.."

<u>Trawsnewidiwch 5.85m yn cm</u>.

Cam 1) <u>Darganfyddwch y FFACTOR TRAWSNEWID</u>
Yn y cwestiwn hwn mae'r ffactor trawsnewid = <u>100</u>
– oherwydd bod 1m = <u>100</u>cm

Cam 2) <u>LLUOSWCH A RHANNWCH â'r ffactor trawsnewid:</u>
5.85m × 100 = 585cm (sy'n gwneud synnwyr)
5.85m ÷ 100 = 0.0585cm (sy'n wirion)

Cam 3) <u>Dewiswch yr ateb sy'n GWNEUD SYNNWYR:</u>
Mae'n amlwg mai'r ateb yw 5.85m = <u>585cm</u>

Ffactorau Trawsnewid

Enghraifft 2:

"Os yw'r £ yn hafal i 1.65 Ewro, faint yw 20 Ewro mewn £ a c?"

Cam 1) Darganfyddwch y FFACTOR TRAWSNEWID

Yn y cwestiwn hwn mae'n amlwg mai'r *Ffactor Trawsnewid yw 1.65*.
(Y "Gyfradd Cyfnewid" yw'r enw ar y ffactor trawsnewid wrth newid arian tramor.)

Cam 2) LLUOSWCH A RHANNWCH â'r ffactor trawsnewid:

20 × 1.65 = 33 = £33
20 ÷ 1.65 = 12.12 = £12.12

Cam 3) Dewiswch yr ateb sy'n GWNEUD SYNNWYR:

Nid yw mor amlwg y tro hwn, ond os yw tua 2 Ewro = £1,
all 20 Ewro ddim fod yn llawer - yn sicr nid yw'n £33,
felly mae'n rhaid mai'r ateb yw   £12.12

Enghraifft 3:

"Eitem boblogaidd yn ein siop leol yw "Saws Llyn Llwgu" (nid yw ar gael ym mhob ardal). Y maint mwyaf poblogaidd yw'r Maint Darbodus (Economy Size) sy'n pwyso 1500g. Faint yw hyn mewn kg?"

Cam 1) Ffactor Trawsnewid = 1000 (oherwydd bod 1kg = 1000g)

Cam 2)   1500 × 1000 = 1,500,000kg   (Nefi wen!)
           1500 ÷ 1000 = 1.5kg   (sy'n fwy synhwyrol)

Cam 3) Felly mae'n rhaid mai'r ateb yw 1500g = 1.5kg

Y Prawf Hollbwysig

**DYSGWCH 3 cham dull y Ffactorau Trawsnewid.
Yna cuddiwch y dudalen ac ysgrifennwch nhw.**

1) Gwelwyd bod Berwyn, ellyll y pwll, yn pwyso 0.12 tunnell fetrig. Faint yw hyn mewn kg?
2) Mae Cwmni Llyn Llwgu hefyd yn gwneud tuniau o de gwan. Sawl peint sydd mewn $1\frac{1}{2}$ galwyn o'r te gwan?

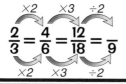

46

Ffracsiynau

Y Botwm Ffracsiwn: [aᵇc] Defnyddiwch hwn gymaint â phosibl.

Mae'n hawdd iawn, felly gwnewch yn siŵr eich bod yn gwybod sut i'w ddefnyddio:

1) Bwydo Ffracsiynau i mewn i'r Cyfrifiannell

e.e. I fwydo $1/3$ i mewn pwyswch [1] [aᵇc] [3]

I fwydo $1²/5$ i mewn pwyswch [1] [aᵇc] [2] [aᵇc] [5]

2) Trawsnewid Ffracsiynau yn Ddegolion

Bwydwch y ffracsiwn i mewn, yna pwyswch [=] , yna pwyswch [aᵇc] dro ar ôl tro, e.e. pwyswch [1] [aᵇc] [4] [=] [aᵇc] [aᵇc] [aᵇc] .... Bydd y dangosydd yn newid rhwng $1/4$ a 0.25, h.y. rhwng ffracsiwn a degolyn.

3) Cyfrifiadau â Ffracsiynau: mae "o" yn golygu "×"

Cofiwch: mae "o" yn golygu "×"

e.e. I gyfrifo $1/5$ o £90, dywedwch wrthych eich hun: $1/5 \times £90$

Felly pwyswch [1] [aᵇc] [5] [×] [90] [=] sy'n rhoi £18.

4) Canslo Ffracsiwn i'w Dermau Isaf

BWYDWCH Y FFRACSIWN I MEWN ac yna pwyswch [=]

e.e. i ganslo $12/16$ i'w dermau isaf:

[12] [aᵇc] [16] [=] (3 ⌐ 4) $= 3/4$

5) Patrymau mewn Ffracsiynau

Darganfyddwch y LLUOSYDD i fynd o un ffracsiwn i'r nesaf, yna defnyddiwch ef ar gyfer y rhif arall.

ENGHRAIFFT:
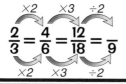

Y lluosydd rhwng y ddau ffracsiwn cyntaf yw 2. O'r 2il ffracsiwn i'r 3ydd ffracsiwn defnyddiwch "× 3", felly bydd y rhif uchaf yn 12. O'r 3ydd i'r 4ydd defnyddiwch ÷ 2, felly bydd y rhif uchaf yn 6.

Y Prawf Hollbwysig

1) Defnyddiwch y Botwm Ffracsiwn i roi $3/5$ fel degolyn.

2) Defnyddiwch y Botwm Ffracsiwn i gyfrifo $5/6$ o £720.

3) Defnyddiwch y Botwm Ffracsiwn i ganslo'r ffracsiynau canlynol i'w termau symlaf: a) $6/9$;   b) $60/72$;   c) $35/49$.

Ffracsiynau, Degolion a Chanrannau

1) Mae Ffracsiynau, Degolion a Chanrannau

yn *ffyrdd gwahanol o ddweud yr un peth* — *mae* ½, 0.5 a 50% i gyd yn golygu'r un peth. Dylech wybod y tri hyn heb unrhyw broblem:

Diagram	Ffracsiwn	Degolyn	Canran
¼	¼	0.25	25%
½	½	0.50	50%
¾	¾	0.75	75%

2) Trawsnewid Ffracsiynau yn Ddegolion ac yna yn Ganrannau

Ar gyfer y rhai dydych chi ddim yn eu gwybod, mae'n rhaid i chi allu eu trawsnewid, fel hyn:

Ffracsiwn → *Rhannu gan ddefnyddio cyfrifiannell* → **Degolyn** → *× â 100* → **Canran**

e.e. $\frac{1}{5}$ (1 ÷ 5) = **0.2** (0.2×100) = **20%**

ENGHRAIFFT: Trawsnewidiwch $\frac{1}{8}$ yn ddegolyn ac yn ganran.

Ateb: Ffracsiwn → Degolyn → Canran

$\frac{1}{8}$ (1 ÷ 8) = **0.125**   (0.125 × 100) = **12.5%**

Y Prawf Hollbwysig

Dysgwch y 3 rhes yn y tabl uchod ac yna llenwch y tabl isod:

Ffracsiwn	Degolyn	Canran
1/5		
		40%
	0.8	
1/10		
	0.7	
		37½%
5/8		

Canrannau

Disgowntiau, TAW, Llog, Cynnydd, Etc

Mae'r <u>RHAN FWYAF</u> o gwestiynau ar ganrannau yn debyg i hyn:

> **Cyfrifwch "rywbeth %" o "rywbeth arall"**

e.e. Darganfyddwch 20% o £80

Dyma'r dull i'w ddefnyddio:

1) <u>YSGRIFENNWCH Y CWESTIWN</u>:	Darganfyddwch 20% o £80
2) <u>NEWIDIWCH YN FATHEMATEG</u>:	$\dfrac{20}{100} \times 80$
3) <u>CYFRIFWCH</u>:	20 ÷ 100 × 80 = £16

DAU BETH PWYSIG:

Cofiwch nhw!

1) <u>Ystyr "y cant" yw "allan o 100"</u>

felly ystyr <u>20%</u> yw "20 allan o 100" = <u>20 ÷ 100</u> = $\dfrac{20}{100}$

(Dyna sut y byddwch yn ei gyfrifo yn y dull a ddangosir uchod)

2) <u>Ystyr "o" yw "×"</u>

Mewn mathemateg, gellir rhoi "×" yn lle'r gair "o" i gyfrifo'r ateb

(fel y gwelir yn y dull uchod)

Canrannau

Enghraifft Bwysig 1

1) Pris cyfrifiannell yw £15 ond mae disgownt o 30% ar gael.

DARGANFYDDWCH BRIS GOSTYNGOL Y CYFRIFIANNELL.

Ateb: Yn gyntaf darganfyddwch 30% o £15 gan ddefnyddio'r dull ar y dudalen flaenorol:

1) 30% o £15

2) $\dfrac{30}{100} \times 15$

3) 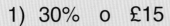 4.5 = £4.50

Gweler tud. 17 os nad ydych yn gwybod pam mae 4.5 yn £4.50.

Dyma'r DISGOWNT, felly mae'n rhaid *tynnu hwn o'r pris gwreiddiol* i gael yr ateb terfynol:

$$£15 - £4.50 = £10.50$$

Enghraifft Bwysig 2

2) Bil y saer am osod cegin yw £1800 + TAW.
Cyfradd y TAW yw 17.5%.
CYFRIFWCH GYFANSWM Y BIL.

Ateb: Yn gyntaf darganfyddwch 17.5% o £1800 gan ddefnyddio'r dull arferol.

1) 17.5% o £1800

2) $\dfrac{17.5}{100} \times 1800$

3)  315 = £315

£315 yw'r TAW a bydd *angen ADIO* hyn at y £1800 i roi'r *BIL TERFYNOL*:

$$£1800 + £315 = £2115$$

Canrannau

Cymharu Rhifau gan ddefnyddio Canrannau

Dyma'r math cyffredin arall o gwestiwn ar ganrannau.

> # Rhowch "un rhif"
>
> ## FEL CANRAN O
>
> ## "rif arall"

Er enghraifft, "Mynegwch £5 <u>fel canran o</u> £50."

Dyma'r dull i'w ddefnyddio:

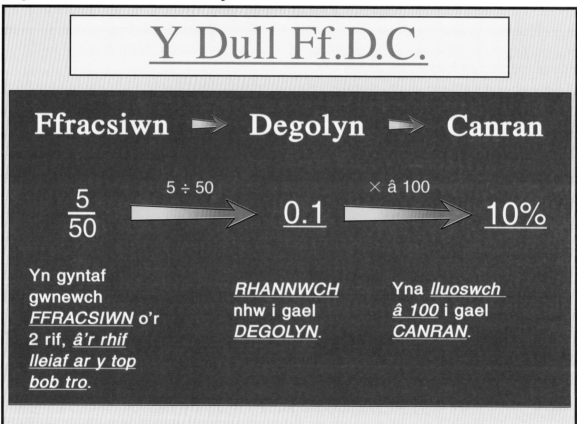

Y Dull Ff.D.C.

Ffracsiwn ➡ Degolyn ➡ Canran

$\dfrac{5}{50}$ — 5 ÷ 50 → 0.1 — × â 100 → 10%

Yn gyntaf gwnewch *FFRACSIWN* o'r 2 rif, *â'r rhif lleiaf ar y top bob tro.*

RHANNWCH nhw i gael *DEGOLYN.*

Yna *lluoswch â 100* i gael *CANRAN.*

Canrannau

Dwy Enghraifft Bwysig

1) *"Mae perchennog siop yn prynu watsys am £4 yr un ac yn eu gwerthu am £5 yr un. Beth yw ei elw FEL CANRAN?"*

Ateb: Y ddau rif rydym am eu *cymharu* yw'r ELW (sef £1) a'r gost WREIDDIOL (sef £4). Yna rydym yn defnyddio'r dull Ff.D.C:

Ffracsiwn $\Rightarrow$ Degolyn $\Rightarrow$ Canran:

$\dfrac{1}{4}$ $\Rightarrow$ 0.25 $\Rightarrow$ 25%

felly mae perchennog y siop yn gwneud elw o 25% ar y watsys.

2) *"Mewn sêl mae pris gêm gyfrifiadurol yn cael ei ostwng o £80 i £64. Beth yw'r GOSTYNGIAD CANRANNOL?"*

Ateb: Y ddau rif rydym am eu *cymharu* yw'r GOSTYNGIAD (sef £16) a'r GWERTH GWREIDDIOL (sef £80). Yna rydym yn defnyddio'r dull Ff.D.C:

Ffracsiwn $\Rightarrow$ Degolyn $\Rightarrow$ Canran:

$\dfrac{16}{80}$ $\Rightarrow$ 0.2 $\Rightarrow$ 20%

Y Prawf Hollbwysig

Ar gyfer y ddau gwestiwn hyn, penderfynwch pa fath o gwestiynau ydynt a defnyddiwch y dull cywir.

1) Mae banc yn codi llog o 7% y flwyddyn. Os bydd £1000 yn cael ei fenthyg am un flwyddyn, faint fydd y llog?

2) Mae gwerth tŷ yn gostwng o £55,000 i £50,000. Beth yw'r gostyngiad yng ngwerth y tŷ fel canran?

Prawf Adolygu ar gyfer Adran 3

Defnyddiwch yr holl ddulliau rydych wedi'u dysgu yn Adran 3 i ateb y cwestiynau hyn.

Prawf Adolygu

1) a) Sawl *cm* sydd mewn *metr*?
   b) Sawl *metr* sydd mewn *km*?
   c) Sawl *ml* sydd mewn *litr*?
   d) Sawl *g* sydd mewn *kg*?

2) *Dyfnder* cadair yw *26 modfedd*. Faint yw hyn mewn *troedfeddi a modfeddi*?

3) *Hyd* piben yw *220cm*. Faint yw hyn mewn *metrau*?

4) Sawl *cm³* sydd mewn *1.6 litr*?

5) Talgrynnwch y rhifau hyn i *1 lle degol:*
   a) 6.41   b) 5.46   c) 8.25

6) Dyma'r math o rifau y gallech eu gweld ar *ddangosydd cyfrifiannell:*
   a) 1.7272727   b) 2.3888888   c) 5.35483871   d) 10.875

   Talgrynnwch nhw i'r *rhif cyfan agosaf*.

7) a) Rhowch 526 i'r *10 agosaf*.   b) Rhowch 493 i'r *100 agosaf*.

8) a) Rhowch 3360 i'r *1000 agosaf*.   b) Rhowch 45 i'r *10 agosaf*.

9) Sawl *ffigur ystyrlon* sydd gan y rhifau hyn:
   a) 19   b) 350   c) 1100   d) 45.2   e) 6,000

10) *Heb ddefnyddio cyfrifiannell,*

   AMCANGYFRIFWCH yr ateb i $\dfrac{510}{18.1 + 32}$

11) *Amcangyfrifwch* uchder tŷ dau lawr, *mewn metrau*.

Prawf Adolygu ar gyfer Adran 3

12) *Amcangyfrifwch arwynebedd* mat sgwâr â'i ochrau'n 1.9m.

1.9m

1.9m

13) Beth yw *Tri Cham Dull y Ffactorau Trawsnewid*?

14) Defnyddiwch nhw i *drawsnewid 3.75m yn cm*.

15) Os yw'r *Gyfradd Cyfnewid* yn *£1 = 1.5 doler*, defnyddiwch ddull y ffactorau trawsnewid i ddarganfod *sawl £* yw *12 doler*. *Darganfyddwch hefyd* sawl doler yw *£30*.

16) *1 filltir = 1.6km*. Sawl milltir yw *34km*? Rhowch eich ateb i'r *filltir agosaf*.

17) *1 Dunnell Fetrig = 1000kg*. Sawl kg yw *2.59 Tunnell Fetrig*?

18) Ar gyfer beth mae'r botwm a^b_c? Defnyddiwch hwn *i gyfrifo*

   a) $\frac{1}{5}$ o £85;   b) $\frac{1}{3}$ o £120.

19) Defnyddiwch y botwm a^b_c a) i *drawsnewid* $\frac{1}{8}$ yn *ddegolyn*;

   b) i *ganslo* $\frac{18}{24}$ i'w *ffurf symlaf*.

20) Sut y byddech yn trawsnewid *ffracsiwn yn ddegolyn*? Sut y byddech yn trawsnewid *degolyn yn ganran*?

21) Trawsnewidiwch $\frac{1}{2}$ yn *ddegolyn* ac yna yn *ganran*.

22) Trawsnewidiwch $\frac{1}{5}$ yn *ddegolyn* ac yna yn *ganran*.

23) Pris chwaraewr tapiau yw £28 ond mae *disgownt o 25%* arno. Darganfyddwch faint y byddech yn ei *arbed* gyda'r disgownt a beth fydd *pris* y chwaraewr tapiau wedyn.

24) Mewn siop arall mae pris cot wedi'i *ostwng* o *£95 i £76*. Beth yw'r *gostyngiad canrannol*?

OS CEWCH DRAFFERTH gydag unrhyw un o'r cwestiynau hyn, *trowch yn ôl i'r dudalen berthnasol* yn Adran 3 i *weld sut i ateb y cwestiwn*.

ADRAN 4 - YSTADEGAU A GRAFFIAU

Cymedr, Canolrif, Modd ac Amrediad

Os na lwyddwch i *ddysgu'r 4 diffiniad sylfaenol hyn*, byddwch yn colli rhai o'r marciau hawsaf yn yr arholiad.

1) *MODD* = *MWYAF* cyffredin

2) *CANOLRIF* = gwerth *CANOL*

3) *CYMEDR* = *CYFANSWM* yr eitemau ÷ *NIFER* yr eitemau

4) *AMREDIAD* = *Y* pellter rhwng y gwerth *lleiaf* a'r gwerth *mwyaf*

Y Rheol Aur:

Dylai gwybod ystyr cymedr, canolrif a modd fod yn ffordd o gael *marciau hawdd*, ond hyd yn oed ar ôl eu dysgu mae rhai pobl yn colli marciau yn yr arholiad am nad ydynt yn cymryd y *cam hollbwysig hwn*:

AD-DREFNWCH y data yn ôl TREFN MAINT

(a gwnewch yn siŵr fod gennych yr un nifer o ddata ag o'r blaen!)

Cymedr, Canolrif, Modd ac Amrediad

Enghraifft: Darganfyddwch gymedr, canolrif, modd ac amrediad y rhifau hyn:

4, 9, 2, 3, 2, 2, 5, 1, 7   (9 rhif)

1) YN GYNTAF... ad-drefnwch nhw: 1, 2, 2, 2, 3, 4, 5, 7, 9   (✓ 9 rhif)

2) CYMEDR = $\dfrac{\text{cyfanswm}}{\text{nifer y rhifau}}$ = $\dfrac{1 + 2 + 2 + 2 + 3 + 4 + 5 + 7 + 9}{9}$

$= 35 \div 9 = \underline{3.89}$

3) CANOLRIF = *y gwerth canol*
(dim ond pan fyddant wedi'u *trefnu yn ôl maint*).

(*Pan fydd dau rif canol*, bydd y canolrif *HANNER FFORDD RHWNG Y DDAU RIF CANOL*)

1,   2,   2,   2,   3,   4,   5,   7,   9
← pedwar rhif yr ochr hon ↑ pedwar rhif yr ochr hon →
Canolrif = 3

4) MODD = y gwerth *mwyaf* cyffredin, sef *2*.

5) AMREDIAD = y pellter o'r gwerth lleiaf i'r gwerth mwyaf,
h.y. o 1 hyd at 9, = *8*

Cofiwch:

Modd = mwyaf (pwysleisiwch y 'mo' a'r 'mw' wrth eu dweud)
Canolrif = canol (pwyslais ar y gair 'canol')
Y **cymedr** yw'r cyfartaledd.

Y Prawf Hollbwysig

DYSGWCH y Pedwar Diffiniad a'r *Rheol Aur...*

... yna cuddiwch y dudalen hon ac ysgrifennwch nhw oddi ar eich cof.
Yna darganfyddwch gymedr, canolrif, modd ac amrediad y set hon o ddata:
5,   10,   16,   3,   8,   11,   7,   10,   2

Marciau Rhifo/Tablau Amlder

Pam trafferthu i ddefnyddio marciau rhifo?
Ateb: I OSGOI CAMGYMERIADAU!

Os ceisiwch lenwi'r tabl amlder <u>HEB DDEFNYDDIO MARCIAU RHIFO</u> byddwch yn siŵr o wneud llanast o bethau - a <u>CHOLLI LLAWER O FARCIAU HAWDD</u>. Mae mor syml â hynny. Gyda llaw, ystyr <u>AMLDER</u> yw '<u>y nifer</u>', felly mae <u>tabl amlder</u> yn dabl o'r '<u>NIFER SYDD YM MHOB GRŴP</u>'.

Enghraifft: Llythyren gofrestru y ceir ym maes parcio ysgol oedd:

N̶ S̶ R̶ L̶ N̶ M R J N
P M L N P R R N

Mae'r marciau rhifo wedi'u nodi ar gyfer y 5 llythyren gyntaf yn y rhestr uchod:

Llythyren gofrestru	Marciau rhifo	Amlder
J		
K		
L	I	
M		
N	II	
P		
R	I	
S	I	
	Cyfanswm	

Pedwar Pwynt Pwysig

1) RHOWCH SYLW I UN LLYTHYREN AR Y TRO. Rhowch <u>FARC RHIFO</u> (yn y bocs cywir!) ar gyfer pob llythyren a *chroeswch bob llythyren* wrth i chi fynd ymlaen. *Dyma'r unig ffordd o gael hyn yn gywir.*

2) LLENWCH Y GOLOFN OLAF drwy adio'r marciau rhifo - <u>OND DIM OND AR ÔL I CHI DDEFNYDDIO'R HOLL LYTHRENNAU</u> a gorffen rhoi'r marciau rhifo.

3) Yn awr y gwirio: Adiwch y golofn olaf - Dylai'r <u>CYFANSWM</u> fod yr un fath â nifer y llythrennau oedd gennych ar y dechrau. *Os nad yw, bydd yn rhaid i chi wneud y cwbl eto!*

4) Wrth ddefnyddio marciau rhifo, bydd pob 5ed marc yn croesi grŵp o 4 fel hyn: ⵌ felly byddai ⵌ II yn cynrychioli 7 (grŵp o 5, a 2 arall).

Y Prawf Hollbwysig
Cwblhewch y tabl marciau rhifo/tabl amlder <u>uchod</u> a gwnewch yn siŵr fod y cyfanswm yn 17. Os nad yw, <u>gwnewch y cwbl eto</u>.

Tablau Amlder a Siartiau Bar

Wedi i chi gwblhau tabl amlder y peth nesaf yw <u>LLUNIO SIART BAR</u>.

Beth yw ystyr "40 ≤ w < 60"?

Yn syml, mae'n golygu bod *gwerth w rhwng 40 a 60*. Ond mae angen i chi wybod hefyd:
　　1) bod y symbol ≤ yn golygu y gall *w* fod yn <u>HAFAL I 40</u> (neu'n fwy na 40);
　　2) bod y symbol < yn golygu bod yn rhaid i *w* fod yn <u>LLAI NA 60</u> (i fynd i'r grŵp hwn).

Canlyniad hyn yw y bydd <u>gwerth o 40</u> yn mynd i'r grŵp hwn: 40 ≤ w < 60, ond y bydd <u>gwerth o 60</u> yn gorfod mynd i'r grŵp nesaf i fyny: 60 ≤ w < 80.

Enghraifft Bwysig

Gofynnwyd i 25 o bobl beth oedd eu hoedran. Mae'r tabl marciau rhifo a'r siart bar isod yn dangos y canlyniad. Fe sylwch *fod pob rhif wedi cael ei groesi* wrth iddo gael ei ddefnyddio:

$$13, \ 51, \ 3, \ 5, \ 17, \ 25, \ 32, \ 43, \ 67, \ 24, \ 33, \ 29, \ 20,$$
$$55, \ 25, \ \ 35, \ 12, \ 18, \ 48, \ 23, \ 27, \ 59, \ 65, \ 82, \ 90$$

Oedran A (blyn)	Marciau Rhifo	Amlder
0 ≤ A < 20	ⅢⅠ Ⅰ	6
20 ≤ A < 40	ⅢⅠ ⅢⅠ	10
40 ≤ A < 60	ⅢⅠ	5
60 ≤ A < 80	Ⅰ Ⅰ	2
80 ≤ A < 100	Ⅰ Ⅰ	2

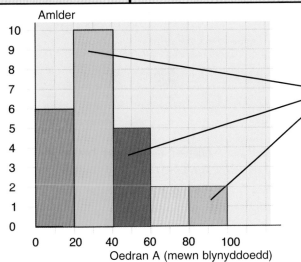

Amlder

Oedran A (mewn blynyddoedd)

Mae'r rhifau hyn <u>BOB AMSER</u> yr un fath ag <u>UCHDER Y BARRAU</u> yn y siart bar.

E.e. mae 5 o bobl rhwng 40 oed a 60 oed, felly mae'r bar a luniwyd rhwng 40 a 60 yn mynd i fyny hyd at 5.

Y Prawf Hollbwysig

Lluniwch siart bar (fel yr un uchod) gan ddefnyddio'r oedrannau canlynol:
24, 2, 51, 76, 9, 83, 44, 18, 16, 22, 29, 30, 55, 33, 40, 80.

Graffiau a Siartiau

1) *Pictogramau*

– mae'r rhain yn defnyddio <u>darluniau</u> yn hytrach na <u>rhifau</u>.

<u>ENGHRAIFFT</u>: Mae'r *pictogram* gyferbyn yn dangos sawl hufen iâ a werthwyd mewn sinema 3-sgrin yn ystod wythnos y Nadolig:

🍦 = 1000 hufen iâ

Sgrin 1 🍦🍦 (2000 o hufen iâ blasus)

Sgrin 2 🍦🍦 (1500 o hufen iâ blasus)

Sgrin 3 🍦🍦🍦🍦 (3500 o hufen iâ blasus)

Mewn PICTOGRAM mae pob darlun neu symbol yn cynrychioli nifer penodol o eitemau.

2) *Graffiau Llinell* neu *Bolygonau Amlder*

Mae *graff llinell*, a elwir weithiau yn *Bolygon Amlder*, yn set o bwyntiau sydd *wedi'u cysylltu gan linellau syth* fel hyn →

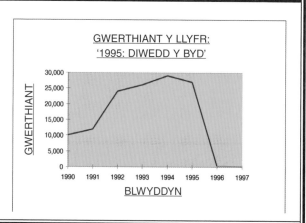

GWERTHIANT Y LLYFR:
'1995: DIWEDD Y BYD'

3) *Siartiau Bar*

Byddwch yn ofalus ynglŷn â phryd y dylai'r barrau gyffwrdd neu beidio â chyffwrdd:

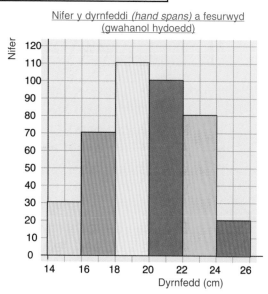

Nifer y dyrnfeddi *(hand spans)* a fesurwyd (gwahanol hydoedd)

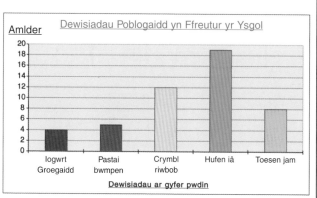

Dewisiadau Poblogaidd yn Ffreutur yr Ysgol

Mae POB bar yn y siart hwn ar gyfer HYDOEDD ac mae'n rhaid *rhoi pob hyd posibl o fewn un bar neu'r nesaf.* Felly, nid oes gofod rhwng y barrau.

Mae'r siart bar hwn yn cymharu *eitemau hollol wahanol*, felly mae'r barrau *ar wahân*.

Mae <u>GRAFF BAR-LLINELL</u> yn debyg i siart bar, ond rydych yn llunio llinellau tenau yn hytrach na barrau.

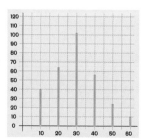

Graffiau a Siartiau

4) Graffiau Gwasgariad

1) Llawer o bwyntiau ar graff sy'n *edrych fel pentwr o bwyntiau blêr* yn hytrach na llinell neu gromlin yw GRAFF GWASGARIAD.

2) Mae gair i'w gael sy'n disgrifio *maint y blerwch*, sef CYDBERTHYNIAD.

3) Ystyr Cydberthyniad Da (neu Gydberthyniad *Cryf*) yw bod y pwyntiau'n *ffurfio llinell weddol dda*, a bod *perthynas agos rhwng y ddau beth*.

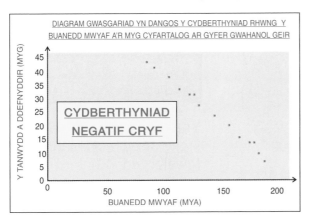

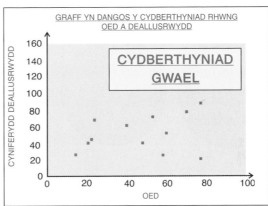

4) Ystyr Cydberthyniad Gwael (neu Gydberthyniad *Gwan*) yw bod y pwyntiau *dros y lle i gyd* ac felly *ychydig iawn o berthynas sydd rhwng y ddau beth*.

5) Os ydy'r pwyntiau'n ffurfio llinell sy'n goleddu I FYNY o'r chwith i'r dde, mae CYDBERTHYNIAD POSITIF – mae'r *ddau beth yn cynyddu neu'n lleihau gyda'i gilydd*.

6) Os ydy'r pwyntiau'n ffurfio llinell sy'n goleddu I LAWR o'r chwith i'r dde, mae CYDBERTHYNIAD NEGATIF – mae *un peth yn lleihau wrth i'r llall gynyddu*.

7) Felly, pan fyddwch yn disgrifio graff gwasgariad, mae'n rhaid i chi nodi'r ddau beth, h.y. a yw'n gydberthyniad *cryf/gwan/canolig* ac a yw'n *bositif/negatif*.

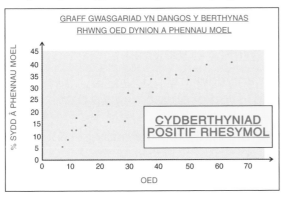

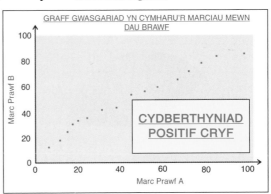

Y Prawf Hollbwysig

DYSGWCH YR HOLL SIARTIAU ar y ddwy dudalen hyn.

1) Cuddiwch y tudalennau a lluniwch enghraifft o bob math o siart.

2) Os ydy'r pwyntiau ar graff gwasgariad yn ffurfio llinell sy'n goleddu i fyny o'r chwith i'r dde, beth mae hynny'n ei ddangos ynglŷn â'r ddau beth y mae'r graff yn eu cymharu?

Siartiau Cylch

Gall Siartiau Cylch fod yn eithaf anodd mewn cwestiynau arholiad.
Felly dysgwch y Rheol Aur ar gyfer Siartiau Cylch:

CYFANSWM Popeth = 360°

Cofiwch mai 360° yw'r peth pwysig i'w gofio wrth ddelio â'r rhan fwyaf o Siartiau Cylch.

1) Perthnasu Onglau â Ffracsiynau

Dylech wybod y pump symlaf hyn:

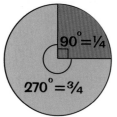
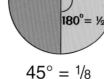
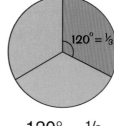

90° = ¼
270° = ¾

45° = ⅛
180° = ½

120° = ⅓

Ar gyfer unrhyw ongl y fformiwla yw:

Ffracsiwn = Ongl / 360°

Yna mae angen *canslo hyn i lawr* ar eich cyfrifiannell (gweler tud. 46)

Os oes rhaid mesur ongl, dylech ddisgwyl y bydd yn rhif synhwyrol fel 90° neu 180° neu 120°, felly peidiwch ag ysgrifennu 89° neu 181° neu rywbeth tebyg.

2) Perthnasu Onglau â Nifer pethau eraill

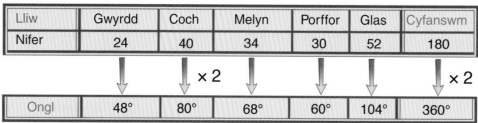

Lliw	Gwyrdd	Coch	Melyn	Porffor	Glas	Cyfanswm
Nifer	24	40	34	30	52	180

×2   ×2

Ongl	48°	80°	68°	60°	104°	360°

Hoff Liwiau

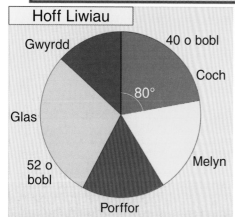

1) Adiwch y nifer ym mhob sector i gael y CYFANSWM (← 180 yma).

2) Yna darganfyddwch y LLUOSYDD (neu'r rhannydd) sydd ei angen i *newid eich cyfanswm yn 360°*.
Ar gyfer 180 → 360 fel uchod, y LLUOSYDD yw 2.

3) Yna LLUOSWCH BOB RHIF Â 2 i gael yr ongl ar gyfer pob sector, e.e. yr ongl ar gyfer coch fydd 40 × 2 = 80°

Y Prawf Hollbwysig

Dangoswch y data hyn mewn Siart Cylch:

Sêr Pop	Bril	Hwyl	IgamOgam	Ceroma
Nifer y Cefnogwyr	10	30	5	45

Tebygolrwydd

Mae'n swnio'n bwnc cymhleth ond nid yw mor wael â hynny.
MAE'N RHAID I CHI DDYSGU'R FFEITHIAU SYLFAENOL a
roddir ar y 3 tudalen hyn.

A fydd ein tîm ni'n ennill?

1) *Mae pob Tebygolrwydd rhwng 0 ac 1*

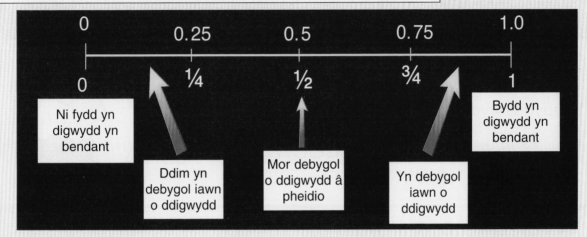

Dim ond gwerthoedd rhwng 0 ac 1 y gall tebygolrwydd eu cael. Dylech allu rhoi'r tebygolrwydd y bydd unrhyw ddigwyddiad yn digwydd ar y raddfa hon o 0 i 1.

Cofiwch y gallwch fynegi tebygolrwydd drwy ddefnyddio
FFRACSIYNAU, DEGOLION neu GANRANNAU.

2) *Tebygolrwydd Hafal*

Pan fydd gan y gwahanol ganlyniadau yr un siawns o ddigwydd, bydd y tebygolrwydd yn HAFAL. Dyma'r ddau achos a geir mewn arholiadau fel rheol:

1) TAFLU DARN ARIAN: Siawns hafal o gael pen neu gynffon ($\frac{1}{2}$)

2) TAFLU DIS: Siawns hafal o gael unrhyw un o'r rhifau ($\frac{1}{6}$)

Tebygolrwydd

3) *Tebygolrwyddau Anhafal y Gallwch eu Cyfrifo*

Mae'r rhain yn llawer mwy diddorol (sy'n golygu y cewch gwestiynau arnyn nhw yn yr arholiad).

> <u>ENGHRAIFFT 1</u>:   'Mae bag yn cynnwys 11 o beli glas, 6 phêl goch a 3 pêl werdd. Darganfyddwch y tebygolrwydd o ddewis pêl goch.'

ATEB:

Mae'r tebygolrwydd o ddewis y tri lliw yn <u>ANHAFAL</u>.

Y tebygolrwydd o ddewis pêl goch yw:

$$\frac{\text{NIFER Y PELI COCH}}{\text{CYFANSWM NIFER Y PELI}} = \frac{6}{20}$$

<u>ENGHRAIFFT 2</u>:   *"Beth yw'r tebygolrwydd y bydd y troellwr hwn yn glanio ar smotiau?"*

ATEB:

Mae gan y troellwr *yr un siawns o stopio ar bob sector* …
… a chan fod *2 allan o 8 yn smotiau*
mae'r siawns o gael smotiau yn *2 allan o 8*.

<u>OND COFIWCH</u> … mae'n rhaid i chi ddangos hyn fel FFRACSIWN neu DDEGOLYN neu GANRAN:

> 2 allan o 8 yw 2 ÷ 8 sef <u>0.25</u> (fel degolyn) neu <u>¹⁄₄</u> (fel ffracsiwn) neu <u>25%</u> (fel canran)

4) *Tebygolrwyddau Anhafal y mae Angen eu Profi*

Mewn llawer o *sefyllfaoedd real* dydy'r tebygolrwyddau ddim yn hafal, fel yn yr enghreifftiau hyn:

1) Y tebygolrwydd naill ai *o ennill, o golli neu o gael gêm gyfartal* (nid 1/3 yr un!)

2) Y siawns mai *car coch, neu las neu wyn etc. fydd y car nesaf i fynd heibio*.

3) *DIS Â THUEDD* yn dangos 'Chwech' yn amlach nag unrhyw rif arall.

4) Y siawns o *lwyddo neu fethu prawf*.

Yn yr achosion hyn i gyd, *yr unig ffordd o ddarganfod y tebygolrwydd yw trwy gynnal PRAWF NEU AROLWG* — gallen nhw ofyn i chi ddweud hynny yn yr arholiad i weld a ydych yn gwybod hynny.

Tebygolrwydd

5) *Y Tebygolrwydd y bydd y* GWRTHWYNEB *yn digwydd yw gweddill y tebygolrwydd*

Mae hyn yn ddigon syml OS BYDDWCH YN EI GOFIO.
Os yw'r tebygolrwydd y bydd rhywbeth yn digwydd yn 0.4, er enghraifft,
y siawns NA FYDD y peth yn digwydd yw gweddill y tebygolrwydd - yn yr
achos hwn 0.6 (fel eu bod yn adio i 1).

Enghraifft: Mae gan ddis siawns o 0.5 o ddangos rhif sy'n llai na 4.
Beth yw'r siawns *na* fydd yn dangos rhif sy'n llai na 4?

Ateb: 1 − 0.5 = 0.5

Felly, y siawns na fydd y dis yn dangos rhif sy'n llai na 4 yw 0.5.

6) *Rhestru'r Holl Ganlyniadau: 2 ddarn arian, dis, troellwr*

Cwestiwn syml posibl yn yr arholiad fydd gofyn i chi restru'r holl ganlyniadau posibl
o daflu dau ddarn arian neu ddau droellwr neu ddis a throellwr, etc. Beth bynnag
fydd y cwestiwn, bydd yn debyg i'r rhain, felly DYSGWCH NHW:

Canlyniadau posibl TAFLU
DAU DDARN ARIAN yw:

Pen	Pen	P	P
Pen	Cynffon	P	C
Cynffon	Pen	C	P
Cynffon	Cynffon	C	C

Canlyniadau DAU DROELLWR â 3 ochr:

GLAS + 1	COCH + 1	GWYRDD + 1
GLAS + 2	COCH + 2	GWYRDD + 2
GLAS + 3	COCH + 3	GWYRDD + 3

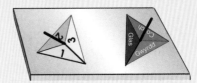

Ceisiwch restru'r holl ganlyniadau posibl yn DREFNUS
- i wneud yn siŵr eich bod yn eu cynnwys nhw I GYD.

Y Prawf Hollbwysig

1) Os yw heddiw'n ddydd Gwener, beth yw'r tebygolrwydd y bydd yfory'n
   ddydd Sadwrn?
2) Mae dis yn cael ei daflu. Beth yw'r tebygolrwydd o daflu:
   a) 4;   b) rhif arall yn hytrach na 4?
3) Mae bocs yn cynnwys 4 marblen felen, 10 marblen goch ac 1 farblen las.
   Beth yw'r siawns o ddewis marblen felen?
4) Rhestrwch yr HOLL GANLYNIADAU POSIBL pan fydd darn arian a dis yn
   cael eu taflu gyda'i gilydd.

Arbrofion Tebygolrwydd

Weithiau fyddwch chi ddim yn gallu cyfrifo tebygolrwydd, felly bydd yn rhaid i chi wneud arbrawf yn lle hynny.

Ar y dudalen hon fe welwch sut i amcangyfrif tebygolrwydd ar sail arbrawf.

Enghraifft:	*"Mae bag yn cynnwys 20 pelen lygad. Ar sail arbrofion, amcangyfrifwch faint o belenni llygaid glas sydd yn y bag."*

Dull:

Cam 1) Gwnewch yr ARBRAWF

Mae Tomos, Ioan, Helen a Sara yn gwneud arbrawf i geisio ateb y cwestiwn. Mae'r bechgyn yn rhoi 100 cynnig arni ac mae'r merched yn rhoi 200 cynnig arni. Mae pob 'cynnig' yn golygu tynnu pelen lygad allan o'r bag, nodi ei lliw a'i rhoi yn ôl yn y bag. Dyma'r canlyniadau:

Tomos:	32 pelen lygad las allan o 100 cynnig.
Ioan:	19 pelen lygad las allan o 100 cynnig.
Helen:	52 pelen lygad las allan o 200 cynnig.
Sara:	46 pelen lygad las allan o 200 cynnig.

Cam 2) Ysgrifennwch AMCANGYFRIF ar gyfer pob arbrawf

Y cam nesaf yw ysgrifennu amcangyfrif o nifer y pelenni llygaid glas y mae'r arbrofion hyn yn ei awgrymu:

	Tomos	Ioan	Helen	Sara
Canlyniad	$\frac{32}{100}$ $=\frac{6.4}{20}$	$\frac{19}{100}$ $=\frac{3.8}{20}$	$\frac{52}{200}$ $=\frac{5.2}{20}$	$\frac{46}{200}$ $=\frac{4.6}{20}$
Amcangyfrif o nifer y pelenni llygaid glas	6.4	3.8	5.2	4.6

Sylwch:
1) Cafodd pob unigolyn ganlyniad gwahanol;
2) Mae canlyniadau'r arbrofion 200 cynnig yn agosach at ei gilydd na chanlyniadau'r arbrofion 100 cynnig.

Cam 3) DEWISWCH yr amcangyfrif mwyaf tebygol

Mae'n ymddangos po fwyaf o gynigion a wnewch, mwyaf i gyd y bydd eich canlyniadau'n cytuno â'i gilydd. Ar sail y ddau ganlyniad olaf yn y tabl yn arbennig, mae'n ymddangos bod 5 pelen lygad las yn y bag.

Y Prawf Hollbwysig

Cynlluniwch arbrawf i ddarganfod pa mor debygol yw hi y bydd eich tost a marmaled yn glanio ag ochr y marmaled oddi tano os bydd yn cwympo i'r llawr.

Cyfesurynnau'r Pedrant Cyntaf

Plotio Pwyntiau

Y peth cyntaf sydd angen i chi ei wybod ynglŷn â graffiau yw sut i blotio pwyntiau ar grid fel hwn.

Mae gan bwynt ddau rif i nodi ei safle: ei *GYFESURYNNAU*.

Cyfesurynnau'r pwyntiau gyferbyn yw:

A(1,1)   C(4,3)
B(2,3)   D(3,1)

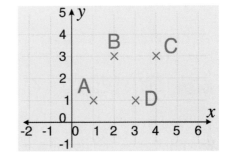

Cyfesurynnau - Cael y Drefn Gywir

Rhowch GYFESURYNNAU MEWN CROMFACHAU bob amser, fel hyn: (x, y)
Gwnewch yn siŵr eich bod yn eu rhoi yn y drefn gywir —

Dyma 3 rheol ddefnyddiol i'ch helpu i gofio:

1) Mae'r ddau gyfesuryn bob amser YN NHREFN YR WYDDOR, X ac yna Y.

2) Yr echelin sy'n mynd AR DRAWS y dudalen yw'r echelin x.

3) Rydych bob amser yn mynd I MEWN I'R TŶ ($\rightarrow$) ac yna I FYNY'R GRISIAU ($\uparrow$), felly ewch AR DRAWS gyntaf ac yna I FYNY, h.y. cyfesuryn X gyntaf, ac yna cyfesuryn Y.

Y Prawf Hollbwysig

DYSGWCH sut i gael y cyfesurynnau yn y drefn gywir.

Cuddiwch y dudalen ac ysgrifennwch yr hyn rydych wedi'i ddysgu.

Yna rhowch gynnig ar hyn:
Ychwanegwch ddau bwynt arall i wneud sgwâr.
Lluniwch y sgwâr. Ysgrifennwch gyfesurynnau corneli'r sgwâr.

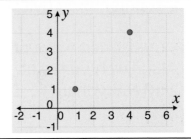

Cyfesurynnau Positif a Negatif

Cyfesurynnau Positif (+) a Negatif (-)

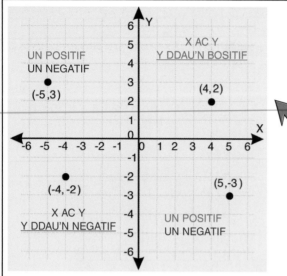

Mae gan graff _bedwar rhanbarth gwahanol_ lle mae cyfesurynnau X ac Y naill ai'n _bositif_ (+) neu'n _negatif_ (-).

Mewn graffiau yn y PEDRANT CYNTAF (tud. 65) mae'r cyfesurynnau X ac Y ill dau yn _bositif_ (+).

Mae'n rhaid i chi fod yn ofalus iawn yn y rhanbarthau eraill oherwydd gallai'r naill gyfesuryn neu'r llall neu'r ddau ohonynt fod yn negatif, ac mae hynny bob amser yn cymlethu pethau.

Pwyntiau ar Linell

Mae _llinell_ yn cynnwys _pwyntiau_. Mae rhai o'r pwyntiau ar y llinell AB wedi'u marcio â ✳, sef (2,1), (2,4), (2,-2) a (2,-3).

SYLWCH mai cyfesuryn x pob un o'r pwyntiau hyn yw 2. Gelwir y llinell yn '$x = 2$'.

Mae rhai o'r pwyntiau ar y llinell CD hefyd wedi'u marcio â ✳: (-2,-3), (0,-3) ac (1,-3).

SYLWCH mai cyfesuryn y pob pwynt ar y llinell yw -3. Felly gelwir y llinell yn '$y = -3$'.

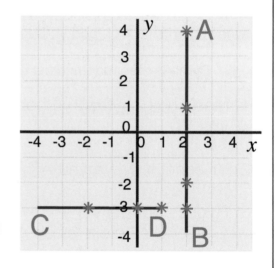

Y Prawf Hollbwysig

1) a) Ysgrifennwch gyfesurynnau'r pwyntiau A hyd at E.
   b) Cysylltwch y pwyntiau i lunio tŷ.
   c) Lluniwch ddrws ac ysgrifennwch ei gyfesurynnau.
   d) Beth y gelwir y llinellau AB ac AE?

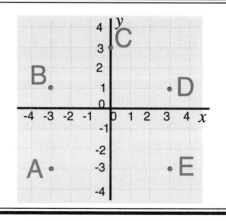

Pedwar Graff ac Ychydig Eiriau

Pedwar Graff i'w Dysgu

Oni bai eich bod yn <u>DYSGU</u> y graffiau hyn, fyddwch chi ddim yn gallu eu llunio nhw yn yr arholiad ac mae'n bosibl y bydd angen i chi wneud hynny.

1) "x = a"
Llinell Fertigol

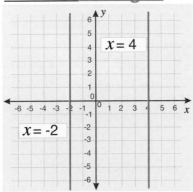

"<u>x = rhif</u>" - llinell sy'n mynd <u>yn syth i fyny drwy'r rhif hwnnw</u> ar yr echelin x, e.e. mae $x = 4$ yn mynd yn syth i fyny drwy 4 ar yr echelin x fel y dangosir.

2) "y = a"
Llinell Lorweddol

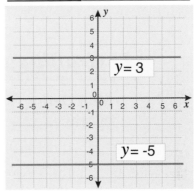

"<u>y = rhif</u>" - llinell sy'n mynd <u>yn syth ar draws drwy'r rhif hwnnw</u> ar yr echelin y, e.e. mae $y = -5$ yn mynd yn syth drwy -5 ar yr echelin y fel y dangosir.

3) "y = x"
Prif Groeslin

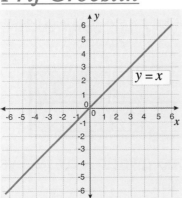

"$y = x$" yw'r <u>brif groeslin</u> sy'n mynd <u>TUAG I FYNY</u> o'r chwith i'r dde.

4) "y = -x"
Y Groeslin Arall

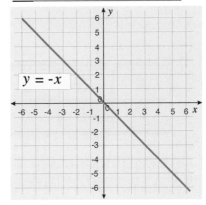

"$y = -x$" yw'r <u>brif groeslin</u> sy'n mynd <u>TUAG I LAWR</u> o'r chwith i'r dde.

Y Prawf Hollbwysig

1) Dysgwch y pedwar graff ar y dudalen hon, yna cuddiwch y dudalen a lluniwch y graffiau hyn ar bâr o echelinau x ac y:

    a) $y = x$ b) $y = -x$ c) $y = 4$ d) $x = 5$ e) $x = -1$

Llunio Graffiau o Hafaliadau

Mae dau fath gwahanol o graffiau y mae angen i chi eu gwybod:

1) Llinellau syth

Mae gan y rhain hafaliadau fel hyn:

$y = 2x$
$y = 3x + 2$
$y = x - 1$

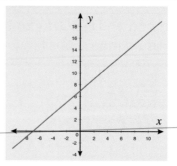

Sori, ro'n i'n meddwl y dwedoch chi "jiraff".

2) Graffiau â Siâp Bwced

Mae gan y rhain hafaliadau sy'n cynnwys x^2:

$y = x^2$
$y = x^2 + 3$
$y = x^2 - 1$

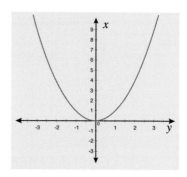

1) Gwneud y Tabl Gwerthoedd

1) Yr hyn y byddwch yn debygol o'i gael yn yr arholiad yw hafaliad (neu 'fapiad') fel hyn:

"$y = 2x + 1$" neu "$y = x^2$" a thabl gwerthoedd wedi hanner ei lenwi:

Enghraifft:

"Cwblhewch y tabl gwerthoedd a ddangosir isod gan ddefnyddio'r hafaliad $y = 2x + 1$"

x	-3	-2	-1	0	1	2	3
y	-5					5	

2) Y cwbl sy'n rhaid i chi ei wneud yw rhoi pob gwerth x o'r tabl yn yr hafaliad a chyfrifo holl werthoedd y yn y tabl.

e.e. <u>*Ar gyfer x = -3*</u>   *y = 2x + 1*   *= 2×-3 + 1*
= -6 + 1   = <u>-5</u>

Mae hwn yr un fath â'r gwerth a roddir yn y tabl, sy'n ffordd dda o wirio eich bod yn gwneud y peth iawn.

<u>*Ar gyfer x = 1*</u>   *y = 2x + 1*   *= 2×1 + 1*   *= 2 + 1 = <u>3</u>*
<u>*Ar gyfer x = 3*</u>   *y = 2x + 1*   *= 2×3 + 1*   *= 6 + 1 = <u>7</u>*

Llunio Graffiau o Hafaliadau

2) Plotio'r Pwyntiau a Llunio'r Graff

1) <u>PLOTIWCH BOB PÂR</u> o werthoedd x ac y o'r tabl fel pwynt ar y graff.
2) Gwnewch hyn yn <u>OFALUS</u> iawn - a pheidiwch â chymysgu gwerthoedd x ac y (Gweler tud. 65/66).
3) Bydd y pwyntiau bob amser yn ffurfio <u>LLINELL HOLLOL SYTH</u> neu <u>GROMLIN HOLLOL LEFN</u>.
   <u>PEIDIWCH BYTH</u> â gadael i <u>un pwynt</u> dynnu eich llinell i gyfeiriad <u>GWIRION</u>:

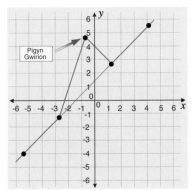
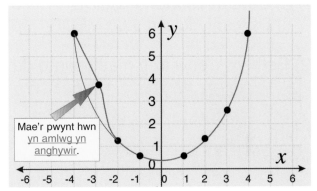

Wrth blotio graff, fyddwch chi <u>byth yn cael PIGYNNAU neu LYMPIAU - dim ond CAMGYMERIADAU</u>.

4) Os bydd un pwynt yn ymddangos yn anghywir, *gwiriwch 2 beth*:
   1) gwerth y a gyfrifwyd gennych <u>CHI</u> yn y tabl a
   2) eich bod wedi'i blotio'n gywir!

Parhad o'r enghraifft o'r dudalen flaenorol:

I barhau â'r enghraifft o'r dudalen flaenorol, y tabl gwerthoedd wedi'i gwblhau yw:

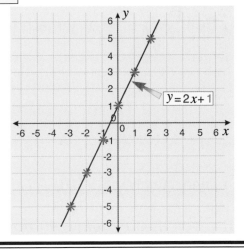

x	-3	-2	-1	0	1	2	3
y	-5	-3	-1	1	3	5	7

Pan gaiff y gwerthoedd hyn eu plotio a'u cysylltu maen nhw'n ffurfio <u>LLINELL SYTH</u> - sy'n croesi'r echelin y yn 1.

Fe sylwch hefyd fod y llinell yn mynd i fyny 2 waith gymaint wrth fynd yn ei blaen.

Y Prawf Hollbwysig

x	-4	-2	-1	0	1	2	4
y		-1		3			

1) DYSGWCH yr holl fanylion pwysig ar y dudalen hon.
2) Yna <u>defnyddiwch nhw</u> i <u>gwblhau'r tabl gwerthoedd hwn</u> ar gyfer yr hafaliad: $y = x + 3$
3) Yna <u>plotiwch y pwyntiau ar bapur graff a lluniwch y graff</u>.

Prawf Adolygu ar gyfer Adran 4

Defnyddiwch yr holl ddulliau rydych wedi'u dysgu yn
Adran 4 i ateb y cwestiynau hyn.

Prawf Adolygu

1) Ar gyfer y set hon o rifau: 3,   2,   9,   5,   10,   7,   2,   6

   a) Darganfyddwch y <u>MODD</u>   b) Darganfyddwch y <u>CANOLRIF</u>
   c) Darganfyddwch y <u>CYMEDR</u>   d) Darganfyddwch yr <u>AMREDIAD</u>

2) Beth yw'r enw ar y math hwn o ddiagram?

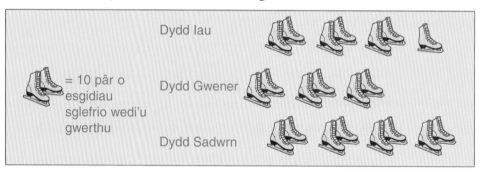

3) *Sawl pâr o esgidiau sglefrio* a werthwyd *ddydd Iau*?

4) Beth yw'r enw ar y math hwn
   o ddiagram?

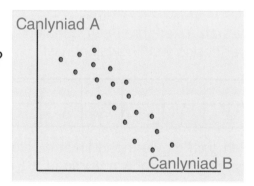

5) Disgrifiwch y <u>CYDBERTHYNIAD</u> rhwng Canlyniad A a Chanlyniad B.

6) *Cwblhewch y tabl hwn* ac yna rhowch y wybodaeth ar ffurf *SIART CYLCH*.

Ffrwythau	Afal	Mefus	Banana	Oren	Cyfanswm
Nifer		15	10		60
Ongl yn y Siart Cylch	120		60	90	360 gradd

Prawf Adolygu ar gyfer Adran 4

7) Mewn tabl marciau rhifo beth yw ystyr $20 \leq w < 30$? *Fyddech chi'n rhoi 20 yn y grŵp hwn? Beth am 30*, fyddech chi'n ei roi yn y grŵp hwn neu'r grŵp *nesaf i fyny*, $30 \leq w < 40$?

8) Mae bag yn cynnwys 6 phêl felen, 9 pêl borffor a 12 pêl goch. *Darganfyddwch y tebygolrwydd* o ddewis *pêl borffor*.

9) Os byddaf yn taflu 2 ddarn arian, *rhestrwch yr holl ganlyniadau posibl*. Gan fod y canlyniadau hyn i gyd yr un mor debygol, beth yw'r siawns o gael *un pen ac un cynffon*?

10) Os byddaf yn taflu darn arian a dis, *rhestrwch yr holl ganlyniadau posibl* a nodwch y tebygolrwydd o gael *CYNFFON a PHUMP*.

11) Y tebygolrwydd y bydd troellwr yn glanio ar *LAS* yw *0.3*. Beth yw'r siawns *NA FYDD* y troellwr hwn yn glanio ar las?

12) *Plotiwch y pwyntiau hyn* ar y grid a ddangosir:

A(-6,-6)
B(6,6)
C(-6,6)
D(6,-6)

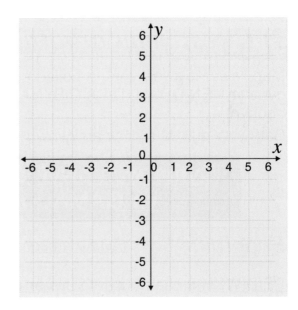

13) Cysylltwch (i) A â B; (ii) C â D. Beth yw hafaliadau y ddwy linell hyn?

OS CEWCH DRAFFERTH gydag unrhyw un o'r cwestiynau hyn, trowch yn ôl i'r dudalen berthnasol yn Adran 4 i weld sut i ateb y cwestiwn.

Clociau a Chalendrau

Gan fod pob peiriant fideo yn y wlad yn defnyddio'r cloc 24 awr mae'n siŵr eich bod yn gwybod sut i'w ddarllen erbyn hyn. Yr unig beth efallai y bydd angen eich atgoffa amdano yw'r "am" a'r "pm" ar y cloc 12 awr.

`20:23:47`

`08:23:47`

1) *am a pm*

Mae "am" yn golygu "Bore"
Mae "pm" yn golygu "Prynhawn a Nos"

"am" - o 12 o'r gloch ganol nos tan 12 o'r gloch ganol dydd
"pm" - o 12 o'r gloch ganol dydd tan 12 o'r gloch ganol nos

(ond dylech wybod hynny eisoes)

2) *Trawsnewidiadau*

Yn bendant, bydd angen i chi wybod y ffeithiau pwysig iawn hyn:

1 diwrnod = 24 awr
1 awr = 60 munud
1 munud = 60 eiliad

3) *Cwestiynau arholiad yn ymwneud ag amser*

Mae llawer o gwestiynau arholiad gwahanol sy'n ymwneud ag amser ond bydd yr HEN DDULL DA A DIBYNADWY yn gweithio'n wych gyda phob un ohonynt.

Beth yw'r dull da a dibynadwy hwn?

Cymerwch bwyll a rhannwch y gwaith yn GAMAU HAWDD A BYR

Enghraifft 1

"Faint o amser sydd rhwng 7.45 a 12.10?"

PEIDIWCH â cheisio cyfrifo hyn ar un tro yn eich pen. Mae'r dull hwnnw yn methu bron bob tro. YN HYTRACH, GWNEWCH HYN:

"Cymerwch bwyll a rhannwch y gwaith yn GAMAU HAWDD A BYR"

7.45	$\longrightarrow$	8.00	$\longrightarrow$	12.00	$\longrightarrow$	12.10
	15 munud		4 awr		10 munud	

Dyma ffordd ddiogel o ddarganfod cyfanswm yr amser rhwng 7.45 a 12.10:

4 awr + 15 munud + 10 munud = 4 awr 25 munud

Clociau a Chalendrau

Enghraifft 2

"Mae trên yn cychwyn am 1120 ac yn cyrraedd pen ei daith am 1417. Faint o amser mae'n ei gymryd?"

Defnyddiwch yr un dull: rhannwch y gwaith yn GAMAU HAWDD A BYR.

11.20 ➡ 12.00 ➡ 14.00 ➡ 14.17
　　40 munud　　　2 awr　　17 munud

Adiwch yr amserau:　2 awr + 40 munud + 17 munud
Cymerodd y daith ar y trên 2 awr 57 munud.

---

4) Cwestiynau arholiad yn ymwneud â *chalendrau*

	IONAWR	CHWEFROR	MAWRTH	
Dydd Llun	4　11　18　25	1　8　15　22	1　8　15　22　29	
Dydd Mawrth	5　12　19　26	2　9　16　23	2　9　16　23　30	
Dydd Mercher	6　13　20　27	3　10　17　24	3　10　17　24　31	
Dydd Iau	7　14　21　28	4　11　18　25	4　11　18　25	
Dydd Gwener	1　8　15　22　29	5　12　19　26	5　12　19　26	
Dydd Sadwrn	2　9　16　23　30	6　13　20　27	6　13　20　27	
Dydd Sul	3　10　17　24　31	7　14　21　28	7　14　21　28	

Na, nid Colin Da.

Enghraifft 1

"Faint o ddiwrnodau sydd rhwng Ionawr 24ain a Mawrth 9fed?"

ATEB:　Ion 24ain ➡ Diwedd Ion ➡ Diwedd Chwef ➡ Maw 9fed
　　　7 diwrnod　　28 diwrnod　　　9 diwrnod

Adiwch y rhain i gael cyfanswm y diwrnodau: 28 diwrnod + 9 diwrnod + 7 diwrnod
= 44 diwrnod.

Enghraifft 2

"Pa ddydd ym mis Ionawr sydd â rhifau tabl lluosi 7 fel ei ddyddiadau?"

ATEB:

Chwiliwch am Ionawr 7, 14, 21, 28 ac fe welwch mai'r ateb yw DYDD IAU.

Enghraifft 3

"Mae tŷ bwyta yn cael ei bythefnos o wyliau blynyddol ym mis Ionawr. Y diwrnod cyntaf iddo fod ar gau yw Ionawr 4ydd. Pryd mae'r tŷ bwyta'n ailagor?"

ATEB:

Syml. Cyfrifwch 2 wythnos ar y calendr o Ionawr 4ydd ac fe ddowch at Ionawr 18fed. Mae'r tŷ bwyta'n ailagor DDYDD LLUN, IONAWR 18fed.

Y Prawf Hollbwysig

1) Ar y cloc 12 awr, beth yw a) 18.30; b) 14.45?

2) Mae bws yn cychwyn am 8.35 am. Mae'r daith yn cymryd 2 awr 40 munud. Pryd mae'n cyrraedd?

3) Yn ôl y calendr uchod faint o ddiwrnodau sydd rhwng Ionawr 22ain a Mawrth 1af?

Cyfeiriadau Cwmpawd a Chyfeiriannau

Wyth Pwynt y Cwmpawd

Gwnewch yn siŵr eich bod yn gwybod pob un o'r cyfeiriadau hyn ar y cwmpawd.

Gall yr 8 cyfeiriad hyn ar y cwmpawd a phob un rhyngddynt gael eu mynegi fel <u>CYFEIRIANNAU</u>.

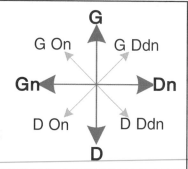

Cyfeiriannau

1) Cyfeiriant yw'r <u>CYFEIRIAD A DEITHIWYD WEDI'I ROI FEL ONGL</u> mewn graddau.
2) Mae pob cyfeiriant yn cael ei fesur yn <u>GLOCWEDD</u> o <u>LINELL Y GOGLEDD</u>.
3) Mae pob cyfeiriant yn cael ei roi fel 3 ffigur, e.e. 060° yn hytrach na 60°, 020° yn hytrach na 20° etc.

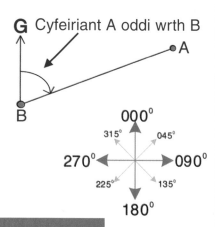

DYSGWCH GYFEIRIANNAU y *cyfeiriadau* hyn ar y *cwmpawd*.

Pwyntiau'r Cwmpawd ac Onglau Sgwâr

Mae 4 prif gyfeiriad y cwmpawd (G, Dn, D, Gn) wedi'u gwahanu gan onglau sgwâr.

<u>ENGHRAIFFT 1</u>: Wrth droi o'r Gogledd i'r De neu o'r De i'r Gogledd rydych yn symud drwy *ddwy* ongl sgwâr.

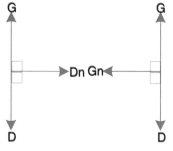

<u>Enghraifft 2</u>: Os trowch o'r Gogledd i'r Dwyrain neu o'r De i'r Gorllewin, rydych yn symud drwy *un* ongl sgwâr.

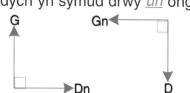

Y Prawf Hollbwysig

1) Lluniwch ddiagram o 4 prif bwynt y cwmpawd gan ddangos yr onglau sgwâr.
2) Mae awyren yn hedfan tua'r Gogledd. Mae'n troi'n glocwedd ar y cyfeiriant 270°. Sawl ongl sgwâr y symudodd drwyddynt?
3) Mae dyn yn cerdded tua'r De. Beth yw ei gyfeiriant?
4) Beth yw'r cyfeiriant ar gyfer: a) y De Orllewin; b) y Gogledd Orllewin?

Cyfeiriadau Cwmpawd a Chyfeiriannau

Y 3 Gair Allweddol

Dysgwch hyn os ydych am gael cyfeiriannau'n *GYWIR*.

1) "O"/"ODDI WRTH"

Chwiliwch am y gair "O" neu "ODDI WRTH" yn y cwestiwn, a rhowch eich pensil ar y diagram ar y pwynt rydych yn mynd *"oddi wrtho"*.

2) LLINELL Y GOGLEDD

Tynnwch LINELL Y GOGLEDD gan ddechrau yn y pwynt rydych yn mynd "ODDI WRTHO".

3) CLOCWEDD

Yna lluniwch yr ongl yn GLOCWEDD *o linell y gogledd i'r llinell sy'n cysylltu'r ddau bwynt*. Yr ongl hon yw'r CYFEIRIANT.

Enghraifft

Darganfyddwch gyfeiriant S oddi wrth T:

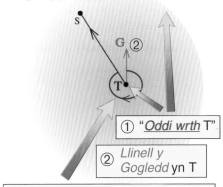

① "*Oddi wrth* T"
② *Llinell y Gogledd* yn T
③ Yn glocwedd o Linell y Gogledd

Yr ongl hon yw cyfeiriant S oddi wrth T ac mae'n 330°.

Y Prawf Hollbwysig

1) a) Beth yw cyfeiriant B oddi wrth A?
   b) Beth yw cyfeiriant A oddi wrth B?
   (Bydd angen llinell-y-gogledd newydd)

2) a) Beth yw cyfeiriant S oddi wrth R?
   b) Beth yw cyfeiriant T oddi wrth S?

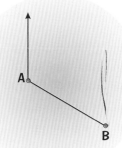

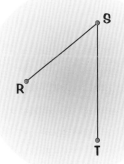

3) DYSGWCH y 3 GAIR ALLWEDDOL ar gyfer CYFEIRIANNAU, yna cuddiwch y dudalen a'u hysgrifennu.

Mapiau a Graddfeydd Mapiau

1) Y raddfa fwyaf cyffredin ar fapiau yw *"1cm = nifer penodol o km"*.

2) Y cyfan mae hyn yn ei ddweud yw SAWL km REAL mae 1cm AR Y MAP YN EI GYNRYCHIOLI.

1) Trawsnewid "cm ar y Map" yn "km Real"

Mae'r map hwn yn dangos y Gamlas Fawr a adeiladwyd gan Ymerawdwr y Blaned Mawrth yn y flwyddyn 5,000,000 CC.

Graddfa'r map yw "1cm i 50km"
"Cyfrifwch hyd y rhan o'r gamlas sydd rhwng Vombis ac Ignarh."

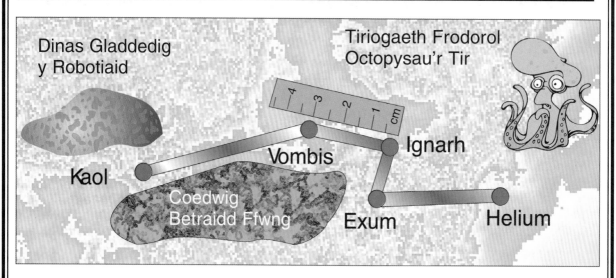

Dyma'r camau i'w dilyn (fel y dangosir yn y diagram)

1) RHOWCH EICH PREN MESUR YN ERBYN YR HYN rydych am ddarganfod ei hyd.
2) MARCIWCH BOB CM CYFLAWN AC YSGRIFENNWCH Y PELLTER MEWN KM wrth ymyl pob un ohonynt.
3) ADIWCH YR HOLL BELLTEROEDD (KM) I DDARGANFOD PELLTER CYFAN y rhan hon o'r gamlas mewn km
(h.y. 50km + 50km + 50km = 150km)

Wrth gwrs os ydy'r cwestiwn yn DWEUD WRTHYCH fod yr hyd yn 4cm, *fyddwch chi ddim yn gallu rhoi eich pren mesur arno.*

Os felly, dylech *dynnu llinell ddychmygol* 4cm o hyd ac *yna marcio'r km arni gan ddefnyddio eich pren mesur*, yn union fel y dangosir yn yr enghraifft ar y dudalen nesaf:

Mapiau a Graddfeydd Mapiau

2) Trawsnewid "km Real" yn "cm ar y Map"

Enghraifft:

"Caiff map ei lunio yn ôl y raddfa 1cm i 2km. Os yw hyd ffordd yn 12km, beth fydd ei hyd mewn cm ar y map?"

Ateb:

1) Dechreuwch drwy lunio'r ffordd fel llinell syth:

2) Marciwch bob cm a nodwch sawl km mae pob un ohonynt yn ei gynrychioli.

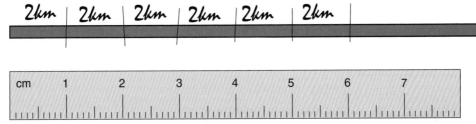

3) Daliwch ati hyd nes y bydd y km yn adio i roi'r pellter cyfan
(12 km yn yr achos hwn).

Yna cyfrifwch sawl cm yw eich llinell
(yn yr achos hwn 6cm).

Y Prawf Hollbwysig

1) DYSGWCH y 3 rheol ar gyfer gweithio gyda graddfeydd mapiau.

2) Amcangyfrifwch hyd y cwch a ddangosir yma, mewn metrau:

GRADDFA: 1cm i 80m.

3) Sawl cm fyddai hyd llong awyrennau sy'n 480m?

Llinellau ac Onglau

Dydy onglau ddim yn anodd - y cwbl sy'n rhaid i chi ei wneud yw eu dysgu.

1) Amcangyfrif Onglau

Y gyfrinach yma yw <u>GWYBOD Y PEDAIR ONGL ARBENNIG HYN</u> fel *pwyntiau cyfeirnod*. Yna gallwch GYMHARU unrhyw ongl arall â'r rhain.

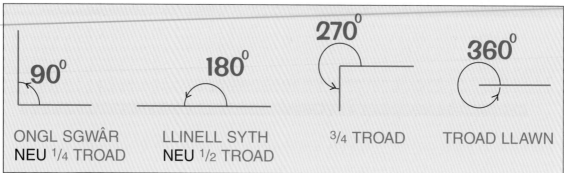

90^0	180^0	270^0	360^0
ONGL SGWÂR NEU 1/4 TROAD	LLINELL SYTH NEU 1/2 TROAD	3/4 TROAD	TROAD LLAWN

Pan fydd dwy linell yn cyfarfod ar $90°$, dywedir eu bod yn <u>BERPENDICWLAR</u> i'w gilydd.

Enghreifftiau:

Amcangyfrifwch faint y tair ongl hyn A, B, C:

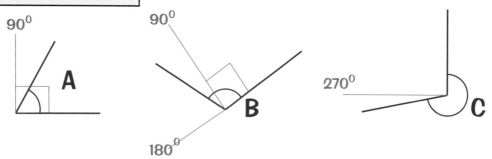

Os *cymharwch bob ongl* â'r *onglau cyfeirnod sef $90°$, $180°$ a $270°$*, gallwch amcangyfrif yn hawdd fod

<u>A = $60°$</u>, <u>B = $110°$</u>, <u>C = $260°$</u>

Y Prawf Hollbwysig

DYSGWCH y pedair prif ongl gyfeirnod.

1) Amcangyfrifwch faint yr onglau hyn:

a)

b)

c)

d)

Mesur Onglau ag Onglydd

Y *ddau gamgymeriad mawr* y bydd pobl yn eu gwneud ag ONGLYDD yw:

1) Peidio â rhoi'r llinell 0° ar y man cychwyn;

2) Darllen o'r RADDFA ANGHYWIR.

Dwy Reol i'w Cael yn Gywir!

1) Dylech osod yr onglydd fel y bydd y *llinell waelod BOB AMSER* ar hyd un o freichiau'r ongl, fel y dangosir yma:

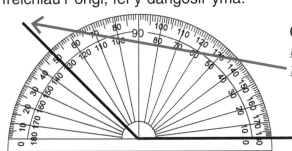

Cyfrifwch fesul 10° o'r *llinell gychwyn* hyd at *fraich arall* yr ongl.

← Llinell gychwyn

2) RHIFWCH YR ONGL FESUL 10°
o'r llinell gychwyn hyd at fraich arall yr ongl.

PEIDIWCH Â DARLLEN RHIF YN SYTH O'R RADDFA - gallai hwnnw fod yr UN ANGHYWIR gan fod DWY raddfa i ddewis ohonynt.
Yr ateb yma yw 130° - NID 50°! Yr unig ffordd o'i gael yn gywir yw rhifo 10°, 20°, 30°, 40° etc o'r llinell gychwyn hyd nes y byddwch yn cyrraedd braich arall yr ongl. Dylech hefyd amcangyfrif yr ongl i wneud yn siŵr.

Ongl Lem

Onglau PIGFAIN
(llai na 90°)

Ongl Aflem

Onglau MWY AGORED
(rhwng 90° a 180°)

Ongl Sgwâr

CORNELI SGWÂR
(union 90°)

Y Prawf Hollbwysig

1) DYSGWCH y 2 reol ar gyfer defnyddio onglydd.

2) DYSGWCH beth yw ONGL LEM, ONGL AFLEM ac ONGL SGWÂR. Lluniwch enghraifft o bob un.

3) Mesurwch a lluniwch yr onglau hyn: a) 55°   b) 120°   c) 170°

Pum Rheol Onglau

1) ONGLAU MEWN TRIONGL

Maen nhw'n adio i 180°.

$$a+b+c=180°$$

2) ONGLAU AR LINELL SYTH

Maen nhw'n adio i 180°.

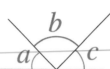

$$a+b+c=180°$$

3) ONGLAU MEWN SIÂP 4-OCHR

("Pedrochr")

Maen nhw'n adio i 360°.

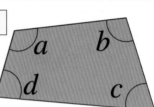

$$a+b+c+d=360°$$

4) ONGLAU O GWMPAS PWYNT

Maen nhw'n adio i 360°.

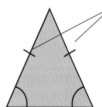

$$a+b+c+d=360°$$

5) TRIONGL ISOSGELES

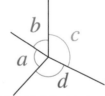 Mae'r marciau hyn yn dangos dwy ochr o'r un hyd.

2 ochr yr un faint
2 ongl yr un faint

Mewn triongl isosgeles, DIM OND UN ONGL SYDD ANGEN I CHI EI GWYBOD er mwyn darganfod y ddwy ongl arall. COFIWCH HYNNY, gallai fod yn ddefnyddiol iawn.

1)

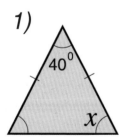

180° – 40° = 140°
Mae'r ddwy ongl waelod yr un faint ac mae'n rhaid iddynt adio i 140°. Felly mae'r naill a'r llall yn hanner 140° (= 70°). Felly *x = 70°*.

2)

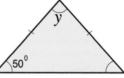

Mae'r *ddwy ongl waelod yr un faint*, felly 50° + 50° = 100°.
Mae'r onglau i gyd yn adio i 180°.
Felly mae y = 180° - 100° = *80°*.

Y Prawf Hollbwysig

1) Mae PUM RHEOL ONGLAU ar y dudalen hon. DYSGWCH nhw, yna cuddiwch y dudalen a gweld faint o hyn y gallwch ei ysgrifennu.
2) Darganfyddwch faint ongl *w* yn y triongl a welir yma:

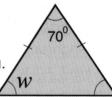

ADRAN 5 — ONGLAU A DARNAU ERAILL

Nodiant Tair Llythyren ar gyfer Onglau

Y ffordd orau o ddynodi ongl mewn diagram yw trwy ddefnyddio <u>TAIR llythyren</u>.

Er enghraifft, yn y diagram, <u>ongl ACB = 25°</u>.

Mewn Nodiant Tair Llythyren:

1) <u>Y LLYTHYREN GANOL</u> yw <u>pig yr ongl</u>.
2) Mae'r <u>DDWY LYTHYREN ARALL</u> yn dangos <u>PA DDWY LINELL</u> sy'n cynnwys yr ongl.

Enghreifftiau:

1) Mae ongl BCD <u>yn C</u> ac yn <u>CAEL EI CHYNNWYS GAN</u> *y llinellau* BC *a* CD (rydych yn rhannu BCD yn BC-CD). <u>Ongl BCD = 45°</u>.

2) Mae ongl ACD (AC-CD) <u>yn C</u> ac yn <u>CAEL EI CHYNNWYS GAN</u> *y llinellau* AC *ac* AD. <u>Ongl ACD = 20°</u>.

Dyma'r dull a ddefnyddir yn yr arholiad - felly gwnewch yn siŵr eich bod yn gyfarwydd ag ef. Mae'n syml iawn.

Ongl ACD = 20°

Onglau *Mewnol ac Allanol*

1) Siâp sydd â llawer o ochrau yw polygon.
2) Mewn *polygon rheolaidd* mae'r holl ochrau a'r holl onglau yr un faint (gweler tud. 34).
3) Mewn *polygon afreolaidd* mae'r ochrau a'r onglau yn wahanol, fel y gwelir yma:

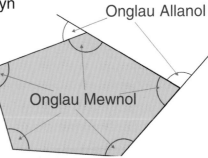

Onglau Allanol

Onglau Mewnol

Mae gan hyd yn oed bolygonau afreolaidd onglau mewnol ac onglau allanol. Gwnewch yn siŵr eich bod yn dysgu'r diagram hwn fel eich bod yn gwybod beth yw onglau mewnol ac onglau allanol.

Y Prawf Hollbwysig

1) Gan edrych ar y diagram ar dop y dudalen, ysgrifennwch faint ongl CAD a hefyd ysgrifennwch y nodiant tair llythyren ar gyfer yr onglau sy'n
   a) 35°   b) 65°

Cyfath

Cyfath

Dyma air mathemategol arall sy'n swnio'n gymhleth, ond nid yw'n gymhleth mewn gwirionedd.

Os ydy dau siâp yn <u>GYFATH</u>, maen nhw <u>YR UN FATH YN UNION</u> — yr <u>UN MAINT</u> a'r <u>UN SIÂP</u>. Dyna'r ystyr yn syml. Gwnewch yn siŵr eich bod yn gwybod y gair.

<u>CYFATH</u>: *yr un* maint, *yr un* siâp

Enghraifft: *"Pa siapiau sy'n gyfath ag A?"*

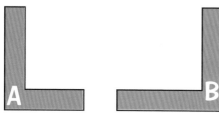 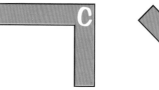 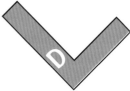

Ateb:

Dargopïwch siâp A. Yna ceisiwch ei ffitio ar siapiau B, C, D. Mae'n ffitio'n hawdd ar D - os byddwch yn *cylchdroi* y siâp a ddargopïwyd ychydig. Ar gyfer siâp C, mae angen ei *gylchdroi a'i droi trosodd*. Beth bynnag wnewch chi fydd siâp A *ddim yn ffitio* ar siâp B, h.y. dydy siâp B ddim yn gyfath â siâp A. Fodd bynnag, mae siâp A *yn* ffitio ar siapiau C a D, felly mae siapiau C a D *yn gyfath* ag A.

Y Prawf Hollbwysig

1) Ysgrifennwch ystyr cyfath.
2) Lluniwch dri siâp sy'n gyfath â'i gilydd.

Adlewyrchiad a Chylchdro

Cylchdro

Pan fydd siâp wedi'i gylchdroi, efallai y gofynnir i chi roi'r 3 manylyn hyn. Felly dysgwch nhw.

1) ONGL y troad
2) CYFEIRIAD (Clocwedd neu wrthglocwedd)
3) CANOL y Cylchdro

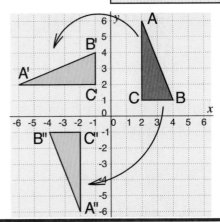

Mae ABC i A'B'C' yn Gylchdro _90°_, _gwrthglocwedd_, O AMGYLCH y _tarddbwynt_.

Mae ABC i A"B"C" yn Gylchdro _hanner troad (180°)_, _clocwedd_, O AMGYLCH y _tarddbwynt_.

Adlewyrchiad

Pan fydd siâp wedi'i adlewyrchu, bydd yn rhaid i chi roi'r un manylyn hwn:

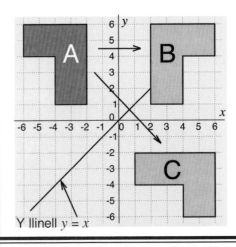

1) Y LLINELL DDRYCH

Mae A i B yn
adlewyrchiad YN yr echelin y

Mae A i C yn
adlewyrchiad YN y llinell y = x

Y Prawf Hollbwysig

1) Copïwch y diagram ar bapur sgwariau.
2) Lluniwch adlewyrchiad o A (A') gyda'r echelin x yn llinell ddrych.
3) Lluniwch adlewyrchiad arall o A (A"); y tro hwn defnyddiwch yr echelin y fel y llinell ddrych.
4) Disgrifiwch y trawsffurfiad A → B.
5) Disgrifiwch y trawsffurfiadau A' → B, A" → B.

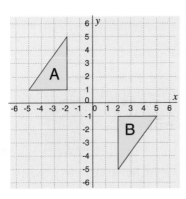

Prawf Adolygu ar gyfer Adran 5

Defnyddiwch yr holl ddulliau rydych wedi'u dysgu yn
Adran 5 i ateb y cwestiynau hyn.

Prawf Adolygu

1) Beth yw *2020* ar *gloc 12 awr*?

2) Beth yw *7.30pm* ar *gloc 24 awr*?

3) *Sawl awr a sawl munud* sydd rhwng *10.50am a 4.40pm*?

4) Mae bws yn cychwyn am *9.25am*. Mae ei daith yn cymryd *5 awr a 20 munud*. *Pryd* fydd y bws yn cyrraedd pen ei daith?

5) Sawl diwrnod sydd ym mis: a) Ionawr; b) Ebrill; c) Rhagfyr?

6) Lluniwch ddiagram yn dangos *wyth pwynt* y cwmpawd.

7) Sawl ongl sgwâr yw a) 180°; b) 270°?

8) Beth yw'r *Tri Gair Allweddol* ar gyfer *Cyfeiriannau*?

9) Mae dyn yn dechrau cerdded o Bentref W i fynd *ar gyfeiriant o 075°*. *Tynnwch linell* ar y diagram yn dangos y cyfeiriant hwn.

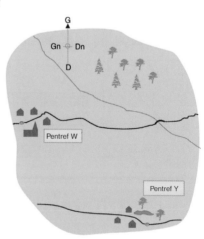

10) Mae grŵp o blant ysgol hefyd yn mynd am dro o Bentref W. Y cyfeiriad a gymerant yw *cyfeiriant o 150°*. *Tynnwch linell* ar gyfer hyn hefyd.

11) Beth yw *cyfeiriant* Pentref W *oddi wrth* Bentref Y?

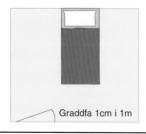

12) Dyma luniad wrth raddfa o ystafell wely. Y raddfa yw 1cm i 1m.
   a) Beth yw *gwir fesuriadau'r ystafell*?
   b) Beth yw *mesuriadau'r gwely*?

Prawf Adolygu ar gyfer Adran 5

13) Gan ddefnyddio'r _raddfa 1cm i 8km_, sawl _cilometr (km)_ y mae'r llinell hon yn ei gynrychioli?

14) Lluniwch y pedair ongl arbennig hyn:
a) 90°   b) 180°   c) 270°   d) 360°

15) <u>AMCANGYFRIFWCH</u> yr onglau hyn ac yna <u>MESURWCH</u> nhw. Gwnewch yn siŵr bod eich dau ateb yn debyg ar gyfer pob ongl:
a)   b)   c)   d)

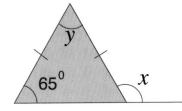

16) Beth yw   a) _Ongl lem;_
                b) _Ongl aflem;_
                c) _Ongl sgwâr?_

17) Cyfrifwch _onglau x ac y_ yn y diagram:

65⁰   _y_   _x_

18) Os ydy dau siâp _yr un maint_ a'r _un siâp_, pa _air_ a ddefnyddir i'w disgrifio?

19) a) Beth yw'r _3 manylyn ar gyfer cylchdro?_
    b) Beth yw'r _un manylyn ar gyfer adlewyrchiad?_

OS CEWCH DRAFFERTH gydag unrhyw un o'r cwestiynau hyn, _trowch yn ôl i'r dudalen berthnasol_ yn Adran 5 i _weld sut i ateb y cwestiwn_.

Cydbwyso

Mae hwn yn bwnc poblogaidd mewn arholiadau - gan ei fod yn arwain yn naturiol at HAFALIADAU.

Cydbwyso a HAFALIADAU

Mewn gwirionedd, "cydbwyso" *yw* "hafaliadau" — ac mae *mor syml ag mae'n ymddangos*.

Enghraifft

Y Ffaith Gyntaf

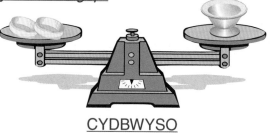

Dwy freichled gopr *Un ddysgl arian*

CYDBWYSO

A

Dwy ddysgl arian *Un cwpan aur*

Yr Ail Ffaith

CYDBWYSO

FELLY

Sawl breichled gopr *Un cwpan aur*

?

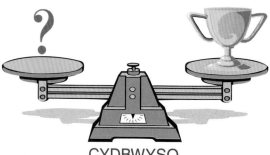

CYDBWYSO

Mae'r ddwy ffaith yn dangos y bydd un cwpan aur yn cydbwyso â 4 breichled gopr.
Yn awr ystyriwch:

SUT Y GWNAETHOCH HYN, oherwydd dyna sy'n bwysig - Y DULL

Cydbwyso

Dull

Y term technegol am yr hyn rydych newydd ei wneud yw "amnewid", h.y. rhoi rhywbeth _yn lle_ rhywbeth arall.

Cam 1) Yr hyn a wnaethoch oedd edrych yn ôl ar y Ffaith Gyntaf a gweld bod pwysau un ddysgl arian yr un faint â phwysau dwy freichled gopr.

Cam 2) _Ar sail y ffaith honno_, roeddech yn gwybod BOB TRO y byddech yn gweld dysgl arian y gallech roi dwy freichled gopr yn ei lle.

FELLY, YN LLE

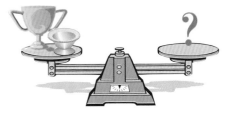

FE GEWCH

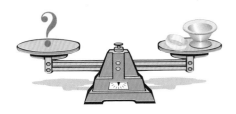

Y Prawf Hollbwysig

Defnyddiwch y dull AMNEWID (h.y. _rhoi rhywbeth yn lle rhywbeth arall_) i lenwi beth ddylai fynd yn lle'r marciau cwestiwn hyn:

1) Sawl breichled gopr

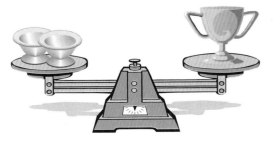

2) Sawl breichled gopr

3) Sawl dysgl arian

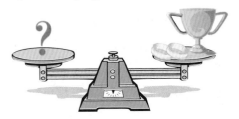

4) Sawl breichled gopr

Pwerau

Nid yw'n Gymhleth

1) Mae pobl yn meddwl bod geiriau fel "pwerau" (neu "indecsau") yn golygu rhywbeth cymhleth iawn, ond <u>DYDY HYNNY DDIM YN WIR</u>.

2) *Llaw-fer syml* ar gyfer rhywbeth digon cyffredin ydynt:

$$6 \times 6 \times 6 \times 6 \times 6 = 6^5$$

1) Yn lle ysgrifennu dyweder $6 \times 6 \times 6 \times 6 \times 6$, mae'n haws o lawer ysgrifennu 6^5

2) Felly ystyr 6^5 yw *"6 wedi'i luosi â'i hun 5 gwaith"*.

3) Gallwch weld mantais hyn - *mae'n llawer cyflymach i'w ysgrifennu*.

4) Ond yn ogystal â bod yn gyflymach, mae'n ddigon hawdd hefyd — <u>OHERWYDD Y CWBL SYDD ANGEN I CHI EI GOFIO YW HYN</u>:

Mae pwerau'n hwyl

Y RHIF HWN ..... *wedi'i luosi â'i hun* ..... CYMAINT Â HYN O WEITHIAU

$$4^6 = 4 \times 4 \times 4 \times 4 \times 4 \times 4 = \underline{4096}$$

Chwe Enghraifft Bwysig

1) Faint yw 2^7 ("dau i'r pŵer 7")?   ATEB: $2 \times 2 \times 2 \times 2 \times 2 \times 2 \times 2 = \underline{128}$

2) Beth yw 7^2 ("7 wedi'i sgwario")? 7^2 yw $7 \times 7 = \underline{49}$

3) Beth yw 4^3 ("pedwar wedi'i giwbio")? 4^3 yw $4 \times 4 \times 4 = \underline{64}$ "Ciwb 4 yw 64"

4) $3^1 = 3$ $5^1 = 5$ $10^1 = 10$ (unrhyw rif i'r pŵer 1 yw'r rhif ei hun)

5) $1^4 = 1 \times 1 \times 1 \times 1 = 1$ — 1 i unrhyw bŵer yw 1

6) 2 i ba bŵer sy'n rhoi 32? Triwch: $2 \times 2 \times 2 = 8$, $2 \times 2 \times 2 \times 2 = 16$
   $2 \times 2 \times 2 \times 2 \times 2 = 32$, felly 32 yw 2^5 (oherwydd <u>DAU</u> wedi'i luosi â'i hun <u>BUM</u> gwaith = 32)

Y Prawf Hollbwysig

CUDDIWCH Y DUDALEN <u>ac</u> ysgrifennwch beth yw PWERAU, gan roi enghraifft.

1) Darganfyddwch werth 2^6.

2) Beth yw gwerth "5 wedi'i sgwario"? Beth yw ciwb 6?

3) Beth yw gwerth x os yw $7^x = 343$ (h.y. 7 i ba bŵer sy'n rhoi 343)?

4) Beth yw gwerth $3^4 \times 2^1 \times 1^8$?

Ail Israddau

Braidd yn gymhleth ond nid yn rhy anodd

Dydy ail israddau ddim yn anodd os cofiwch mai'r _gyfrinach fawr_ yw EU GWELD NHW WEDI'U GWRTHDROI.

Ail Isradd - Gwrthdrowch hwn

ENGHRAIFFT: "Darganfyddwch AIL ISRADD 49"

Wedi'i wrthdroi: "Pa rif WEDI'I LUOSI Â'I HUN sy'n rhoi 49?"

Dylech weld yn awr mai'r _ateb yw 7_, oherwydd "7 wedi'i luosi â'i hun = 49"

> ## Ystyr "Ail Isradd" yw
> ## "Pa Rif Wedi'i Luosi â'i Hun sy'n rhoi..."

Y symbol arbennig ar gyfer ail isradd yw $\sqrt{}$ felly ystyr $\sqrt{49}$ yw "ail isradd 49".

Botymau Cyfrifiannell ar gyfer Pwerau ac Israddau

Y Botwm Ail Isradd $\boxed{\sqrt{}}$

Mae'r botwm $\boxed{\sqrt{}}$ yn rhoi _ail isradd_ y rhif yn y dangosydd.

Triwch hyn: $\boxed{25}$ $\boxed{\sqrt{}}$ .... dylech gael 5

5 yw AIL ISRADD 25 oherwydd bod $5 \times 5 = 25$.

Y Botwm Pwerau: $\boxed{x^y}$

Ar y rhan fwyaf o gyfrifianellau dyma _2il ffwythiant y botwm_ $\boxed{\times}$.
Caiff ei ddefnyddio i gyfrifo pwerau rhifau yn gyflym.

Er enghraifft i ddarganfod 3^5:
Yn hytrach na phwyso $3 \times 3 \times 3 \times 3 \times 3$ dylech bwyso

$\boxed{3}$ $\boxed{x^y}$ $\boxed{5}$ $\boxed{=}$ (neu $\boxed{3}$ $\boxed{\text{SHIFT}}$ $\boxed{\times}$ $\boxed{5}$ $\boxed{=}$)

...... sy'n rhoi 243.

Y Prawf Hollbwysig

DYSGWCH yr hyn sydd yn y bocs coch uchod, yna CUDDIWCH Y DUDALEN ac ysgrifennwch hyn.

1) Darganfyddwch ail isradd 64.
2) Darganfyddwch   a) $\sqrt{36}$;   b) $\sqrt{40}$;   c) 3^9 ;   d) 2^8.
3) Arwynebedd y sgwâr a ddangosir yw $16m^2$. Darganfyddwch x.

Arwynebedd = 16m²

Patrymau Rhif a Dilyniannau

Mae pum math gwahanol o ddilyniannau rhif y gallech gael cwestiynau arnynt. Dydyn nhw ddim yn anodd - OS YSGRIFENNWCH BETH SY'N DIGWYDD YM MHOB BWLCH.

1) *"Adio neu Dynnu yr Un Rhif"*

Y GYFRINACH yw *ysgrifennu'r gwahaniaeth yn y bylchau* rhwng pob pâr o rifau:

e.e.   3   8   13   18   ...   23   20   17   14   11   ...
            +5   +5   +5   +5   -3   - 3   -3   -3   -3

Y RHEOL: "Adio 5 at y term blaenorol"   "Tynnu 3 o'r term blaenorol"

2) *"Adio neu Dynnu Rhif sy'n Newid"*

Eto, YSGRIFENNWCH Y NEWID YN Y BYLCHAU, fel y dangosir yma:

e.e.   2   4   7   11   16   ...   neu   30   23   17   12   8   ...
           +2   +3   +4   +5   +6   -7   -6   -5   -4   -3

Y RHEOL: "Adio 1 yn fwy bob tro at y term blaenorol"   "Tynnu 1 yn llai bob tro o'r term blaenorol"

3) *Lluosi â'r Un Rhif Bob Tro*

Yn y math hwn mae LLUOSYDD cyffredin sy'n cysylltu pob pâr o rifau:

e.e.   2   4   8   16   ...   4   12   36   108   ...
             ×2   ×2   ×2   ×2   ×3   ×3   ×3   ×3

Y RHEOL: "Lluosi'r term blaenorol â 2"   "Lluosi'r term blaenorol â 3"

4) *Rhannu â'r Un Rhif Bob Tro*

Yn y math hwn mae'r un RHANNYDD rhwng pob pâr o rifau:

e.e.   400   200   100   50   ...   70 000   7000   700   70   ...
            ÷2   ÷2   ÷2   ÷2   ÷10   ÷10   ÷10   ÷10

Y RHEOL: "Rhannu'r term blaenorol â 2"   "Rhannu'r term blaenorol â 10"

5) *Adio'r Ddau Derm Blaenorol*

Cawn y math hwn o ddilyniant drwy adio'r ddau rif blaenorol i gael yr un nesaf.

e.e.   1   1   2   3   5   8   13   ...   2   4   6   10   16   26 ..
              1+1 1+2 2+3 3+5 5+8 8+13   2+4   4+6   6+10   10+16

Y RHEOL: "Adio'r ddau derm blaenorol"

Patrymau Rhif: Cwestiwn Cyffredin

Edrychwn yma ar y math hwn o gwestiwn:

> **"Mynegwch y rheol ar gyfer estyn y patrwm"**

Mae llawer o *gwestiynau arholiad* yn gofyn am hyn ac mae'n ddigon hawdd os cofiwch hyn:

> **Dywedwch BOB AMSER yr hyn rydych yn ei wneud i'r TERM BLAENOROL i gael y term nesaf.**

Mae'r rheol ar gyfer estyn y patrwm yn y dilyniannau rhif ar y dudalen flaenorol wedi'i hysgrifennu yn y bocs oddi tanynt. Sylwch eu bod i gyd yn cyfeirio at y *term blaenorol*.

OND: — Efallai na chewch batrwm rhif fel cyfres o rifau bob amser. Mewn gwirionedd, mae'n debygol iawn y cewch ar y cychwyn *gyfres o batrymau lluniau*.

Enghraifft

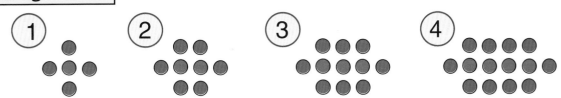

Efallai y gofynnir i chi, *"Sawl dot sydd ym mhatrwm* ⑤ *?"*

Dull

Trowch hyn yn ddilyniant *rhif* ac fe gewch yr ateb yn ddigon buan:

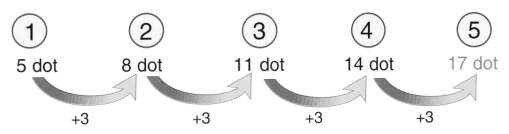

Y Prawf Hollbwysig

1) Ysgrifennwch ddilyniant rhif ar gyfer y dotiau *glas* yn y gyfres uchod o batrymau.
2) Sawl dot glas fydd pan fydd:
   a) 5 dot coch;   b) 6 dot coch;   c) 9 dot coch?

Fformiwla Patrymau Rhif

Darganfod yr nfed rhif

Mewn rhai cwestiynau arholiad efallai y gofynnir i chi *"roi mynegiad ar gyfer yr nfed rhif yn y dilyniant."*

Tybiwch eich bod yn cael y dilyniant hwn:
3, 7, 11, 15, 19, 23, 27 a bod gofyn *"Darganfod yr nfed rhif"*.

Yn gyntaf oll, <u>BETH</u> yw <u>YSTYR</u> y cwestiwn? Rhaid cael

> Rheol a fydd yn darganfod y seith*fed* rhif, yr wyth*fed* rhif, y naw*fed* rhif, y miliyn*fed* rhif neu'r ... *nfed* rhif yn y dilyniant.

Ar gyfer y math hwn o gwestiwn, gallwch <u>DDEWIS</u> rhwng <u>DAU DDULL</u>.

1) Defnyddio Tablau Lluosi

Gyda'r dull hwn mae angen cymharu'r dilyniant â'r *TABL LLUOSI AGOSAF*:

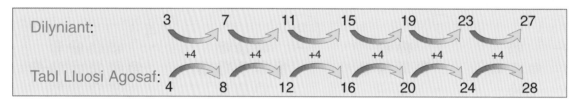

Yr hyn sy'n bwysig yw'r *bwlch* rhwng pob rhif.
Bydd hynny'n dangos i ba "deulu" y mae'n perthyn - yn yr achos hwn, teulu *Tabl Pedwar*.

Mewn gwirionedd, mae'r dilyniant oedd gennym ar y dechrau yn union fel Tabl Pedwar ar wahân i'r ffaith ei fod yn symud 1 rhif i'r chwith:

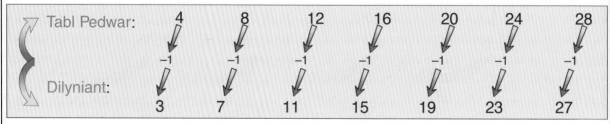

Felly, yr <u>20fed</u> rhif yn y dilyniant, er enghraifft,

$$\text{fydd } \underline{20} \text{ pedwar tynnu 1} = \underline{20 \times 4 - 1}$$
$$= 80 - 1$$
$$= \underline{79}$$

a'r <u>*n*fed</u> rhif fydd *n* pedwar tynnu 1
$$= n \times 4 - 1$$
$$= \underline{4n - 1}$$

Fformiwla Patrymau Rhif

2) Defnyddio'r Fformiwla

Gan ddefnyddio'r dull hwn, gallwch gyfrifo'r ateb yn hawdd os byddwch yn *DYSGU'R FFORMIWLA*:

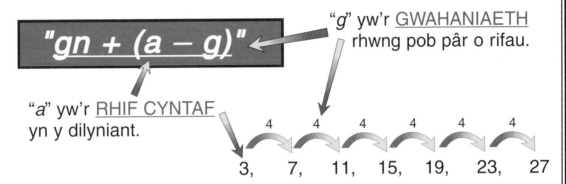

"gn + (a − g)"

"g" yw'r <u>GWAHANIAETH</u> rhwng pob pâr o rifau.

"a" yw'r <u>RHIF CYNTAF</u> yn y dilyniant.

| | 4 | 4 | 4 | 4 | 4 | 4 |
3,   7,   11,   15,   19,   23,   27

I gael yr *nfed term*, rydych yn *darganfod gwerthoedd "a" a "g" o'r dilyniant ac yn eu rhoi yn y fformiwla.

Ond dydych chi ddim yn rhoi dim yn lle n - mae angen i hwn aros yn n - wrth gwrs <u>MAE'N RHAID I CHI DDYSGU'R FFORMIWLA</u>.

Enghraifft: "Darganfyddwch nfed rhif y dilyniant hwn:
5, 8, 11, 14 ..."

ATEB:

1) Y fformiwla yw *gn* + (*a* − *g*)

2) Y rhif cyntaf yw 5, felly <u>*a* = 5</u>.
   Y gwahaniaeth cyffredin yw 3, felly <u>*g* = 3</u>.

3) Wrth roi'r rhain yn y fformiwla cawn: $3n + (5 − 3) = 3n + 2$

   Felly yr <u>*n*fed rhif ar gyfer y dilyniant hwn yw</u>: "3*n* + 2".

Y Prawf Hollbwysig

DYSGWCH y <u>5 math o batrymau rhif</u> a'r fformiwla ar gyfer darganfod yr *n*fed rhif.

1) Darganfyddwch y ddau rif nesaf ym mhob un o'r dilyniannau hyn a nodwch <u>mewn geiriau</u> y rheol ar gyfer estyn pob un:
   a) 6, 13, 20, 27 …   b) 8, 80, 800 …   c) 128, 64, 32, 16, 8 …

2) Darganfyddwch y mynegiad ar gyfer yr *n*fed rhif yn y dilyniant hwn:
   5, 7, 9, 11 …

3) Os bydd dau fwrdd ar gyfer pedwar yn cael eu rhoi gyda'i gilydd, gall 6 eistedd yno.
   Faint all eistedd os caiff: a) 3 bwrdd o'r fath   a b) *n* o fyrddau o'r fath eu gwthio gyda'i gilydd?

Rhifau Negatif

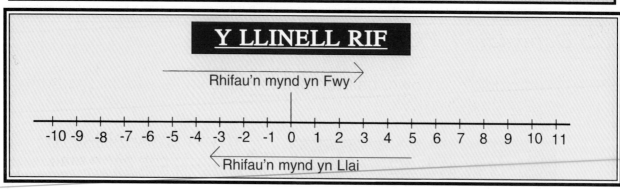

Y LLINELL RIF

Rhifau'n mynd yn Fwy →

-10 -9 -8 -7 -6 -5 -4 -3 -2 -1 0 1 2 3 4 5 6 7 8 9 10 11

← Rhifau'n mynd yn Llai

Mae angen i chi *gofio* diagram y LLINELL RIF fel y dangosir uchod - gallai ateb eich holl broblemau - wel, eich *problemau gyda rhifau negatif* beth bynnag.

1) *Rhoi Rhifau Negatif mewn Trefn*

ENGHRAIFFT: Rhowch y rhain yn ôl trefn maint: 6,   -9,   2,   -5,   -2,   11,   -7,   8

ATEB: 1) *Lluniwch y Llinell Rif* yn gyflym fel y dangosir isod
                2) Rhowch y rhifau *yn yr un drefn ag y gwelir nhw ar y llinell rif*.

-10 -9 -8 -7 -6 -5 -4 -3 -2 -1 0 1 2 3 4 5 6 7 8 9 10 11

-9   -7   -5   -2   2   6   8   11

Felly, yn ôl trefn maint, dyma nhw: -9, -7, -5, -2, 2, 6, 8, 11

Sylwch fod -5 YN FWY na -7, am ei fod yn UWCH AR Y LLINELL RIF.
Mae rhifau negatif yn mynd "o chwith" - mae rhifau llai yn fwy!

2) *Darganfod Amrediad y Gwerthoedd*

Cwestiwn cyffredin iawn mewn arholiadau yw cwestiwn ar AMREDIAD Y TYMHEREDD ar gyfer man lle mae'r tymheredd yn disgyn islaw'r rhewbwynt yn ystod y nos.

ENGHRAIFFT: Un diwrnod y tymheredd yn Moscow oedd: 12°C — Ganol Dydd
                                                                      -10°C — Ganol Nos
                            Beth oedd AMREDIAD llawn y tymheredd?

ATEB: Eto, gwnewch *fraslun o'r Llinell Rif yn gyflym*, marciwch y ddau dymheredd arni ac yna *cyfrifwch sawl gradd sydd rhyngddynt*:

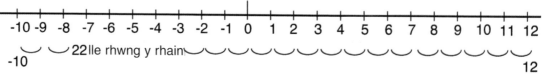

-10 -9 -8 -7 -6 -5 -4 -3 -2 -1 0 1 2 3 4 5 6 7 8 9 10 11 12

-10   22 lle rhwng y rhain   12

Yr ateb yw: Amrediad llawn y tymheredd yn Moscow oedd 22°C.

Rhifau Negatif

1) Lluosi a Rhannu

Ar gyfer *lluosi a rhannu â* <u>RHIFAU NEGATIF</u> mae angen defnyddio'r rheolau hyn.

Mae	+	+	yn rhoi	+
Mae	+	−	yn rhoi	−
Mae	−	+	yn rhoi	−
Mae	−	−	yn rhoi	+

Dyma'r ffordd orau o rannu...

e.e. $-2 \times 3 = -6$ (Mae - wedi'i luosi â + yn rhoi -, felly cewch -6, nid +6)
$5 \times -4 = -20$ (Mae + wedi'i luosi â - yn rhoi -, felly cewch -20, nid +20)
$-12 \div 2 = -6$ (Mae - wedi'i rannu â + yn rhoi -, felly cewch -6, nid +6)
$-6 \times -8 = +48$ (Mae - wedi'i luosi â - yn rhoi +, felly cewch +48, nid -48)

2) *OS YW'N BOSIBL, Defnyddiwch eich Cyfrifiannell i ddelio â Rhifau Negatif*

Yn sicr dyma'r ffordd hawsaf o ddelio â rhifau negatif - dim ond un peth sy'n rhaid i chi ei ddysgu - <u>SUT I ROI RHIF NEGATIF YN Y CYFRIFIANNELL</u>:

Pwyswch y Botwm +/− AR ÔL Bwydo'r Rhif i Mewn

Os gallwch gofio hynny, mae'r gweddill yn hawdd.

PUM ENGHRAIFFT BWYSIG:

1) <u>Bwydwch y rhif -20 i mewn i'r cyfrifiannell</u>. ATEB: Pwyswch [20] [+/−] sy'n rhoi <u>-20</u>.
2) <u>Darganfyddwch -5 × -4</u>. ATEB: Pwyswch [5] [+/−] [×] [4] [+/−] [=] a'r ateb yw <u>20</u>.
3) <u>Os yw $y = x^2$, darganfyddwch y pan fo $x = -4$</u>.
   ATEB: -4^2 yw -4 × -4 felly pwyswch [4] [+/−] [×] [4] [+/−] [=] i gael <u>16</u>.
4) <u>Os yw $y = 2x + 4$, darganfyddwch y pan fo $x = -7$</u>.
   ATEB: $y = 2 \times -7$ + 4 felly pwyswch [2] [×] [7] [+/−] [=] [+] [4] [=] = <u>-10</u>
5) I gyfrifo -3 + -5 − -2, pwyswch [3] [+/−] [+] [5] [+/−] [=] [−] [2] [+/−] [=] i gael <u>-6</u>.

Y Prawf Hollbwysig

1) Trefnwch y rhain yn ôl maint: -10, 6, -11, -1, 5, -4, 20, -21, 22, 0
2) Un diwrnod aeth y tymheredd o -4°C i 9°C. Faint oedd y cynnydd yn y tymheredd?
3) Cyfrifwch y rhain heb gyfrifiannell: a) 5 × -10   b) -6 ÷ -2.
4) Os yw $y = x^2$ defnyddiwch gyfrifiannell i ddarganfod y pan fo $x = -2$ a hefyd pan fo $x = -3$.
5) Defnyddiwch gyfrifiannell i gyfrifo -17 + 3 − -2.

Algebra Sylfaenol

Beth bynnag yw eich barn am algebra, dydy'r ddau ddarn yma ddim yn rhy anodd ac mae'n werth i chi eu dysgu.

1) Symleiddio   <u>neu "Casglu Termau Tebyg"</u>

ENGHRAIFFT: "Symleiddiwch $3x - 2 + 4x + 5$"

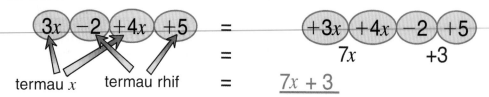

$3x$ -2 $+4x$ $+5$ = $+3x$ $+4x$ -2 $+5$
                                        $7x$ $+3$

termau x termau rhif   =   <u>$7x + 3$</u>

1) <u>Rhowch swigen am bob term</u> - gwnewch yn siŵr eich bod yn *cadw'r arwydd +/- sydd* O FLAEN *pob term*.

2) Yna gallwch *symud y swigod i'r drefn orau* fel y bydd <u>TERMAU TEBYG *gyda'i gilydd*</u>.

3) Mae gan "<u>DERMAU TEBYG</u>" yr un cyfuniad o lythrennau, e.e. termau x neu dermau y neu ddim llythyren o gwbl os mai rhifau yn unig ydynt.

4) <u>Cyfunwch y TERMAU TEBYG</u> gan ddefnyddio'r <u>LLINELL RIF</u> (nid y rheol arall ar gyfer rhifau negatif).

2) Lluosi Cromfachau

1) Mae'r hyn sydd y <u>TU ALLAN</u> i'r cromfachau yn <u>lluosi pob</u> term gwahanol sydd y <u>TU MEWN</u> i'r cromfachau.

2) Pan gaiff llythrennau eu <u>lluosi â'i gilydd</u>, cânt eu <u>hysgrifennu nesaf at ei gilydd</u>, fel hyn: $p \times q = pq$

3) Cofiwch fod $R \times R = R^2$, a bod TY^2 yn golygu $T \times Y \times Y$

Enghreifftiau:

1) $5(2x + 3) = \underline{10x + 15}$ 2) $3(4y + x - 2) = \underline{12y + 3x - 6}$

3) $2t(5r - 6w) = \underline{10tr - 12tw}$ 4) $p(1 + 4q - 2r) = \underline{p + 4pq - 2rp}$

Y Prawf Hollbwysig

1) Symleiddiwch y mynegiadau hyn: a) $6x + 7 - x + 1$;   b) $9y - 4z - 2y + 3z$.

2) Lluoswch y mynegiadau hyn: a) $4g(2 + 3h - 3)$;   b) $7(5d - 2 - 4f^2)$.

Fformiwlâu Tymheredd °F a °C

<u>Graddau Fahrenheit</u> (°F) yw graddfa hen ffasiwn y tymheredd.
<u>Graddau Celsius</u> (°C) yw graddfa fwy <u>modern</u> y tymheredd.

Mae'r ddwy raddfa yn dal i gael eu defnyddio heddiw, *felly gwnewch yn siŵr eich bod yn gwybod y* 3 THYMHEREDD PWYSIG *hyn*:

Rhewbwynt	Tymheredd Ystafell	Diwrnod Poeth Iawn
0°C	20°C	30°C
32°F	70°F	90°F

Mae'n ddefnyddiol iawn gwybod y 3 thymheredd hyn mewn °F ac mewn °C fel y *byddwch yn gallu gwirio ydy eich ateb yn synhwyrol* os gofynnir i chi gyfrifo tymheredd yn yr arholiad.

Er enghraifft, os gofynnir i chi <u>drawsnewid 10°C yn °F</u> byddwch yn disgwyl i'r ateb fod rhwng y <u>rhewbwynt</u> a <u>thymheredd ystafell</u>, *sef rhwng 32°F a 70°F, efallai 50°F. Felly os bydd eich ateb yn 80°F dyweder,* BYDDWCH YN GWYBOD EI FOD YN ANGHYWIR.

Y Ddwy Fformiwla Trawsnewid

Mae'r ddwy fformiwla hyn yn ymddangos yn aml yn yr arholiadau, felly byddai'n beth da i chi fod yn gyfarwydd â nhw, ond does dim rhaid i chi eu dysgu:

$$F = \frac{9}{5}C + 32$$

Dydy defnyddio'r fformiwlâu hyn ddim yn anodd - os ewch ati gam wrth gam.

$$C = \frac{5}{9}(F - 32)$$

ENGHRAIFFT: *"Trawsnewidiwch dymheredd o 68°F yn °C"*

ATEB: (Y dull cam wrth gam)

<u>Cam 1</u>: $C = \frac{5}{9}(F - 32)$ ⟵ Ysgrifennwch y fformiwla

<u>Cam 2</u>: $C = \frac{5}{9}(68 - 32)$ ⟵ Rhowch werth F i mewn (=68)

<u>Cam 3</u>: $C = \frac{5}{9}(36)$ felly $C = 5 \div 9 \times 36 = 20$ ⟵ Cyfrifwch hyn <u>GAM WRTH GAM</u>

Felly mae 68°F yn trawsnewid yn <u>20°C</u> (sy'n ymddangos yn synhwyrol)

Y Prawf Hollbwysig

1) Gan ddefnyddio'r fformiwla $F = \frac{9}{5}C + 32$, trawsnewidiwch 25°C yn °F.
Ai diwrnod poeth neu ddiwrnod oer ydyw?

2) Gan ddefnyddio'r fformiwla arall, darganfyddwch y tymheredd mewn °C sy'n gywerth â 41°F. Ai tywydd poeth neu dywydd oer fydd hynny?

Gwneud Fformiwlâu o Eiriau

Gall y rhain ymddangos braidd yn ddryslyd, ond dydyn nhw ddim yn rhy wael os ydych yn gwybod y "triciau". Mae dau brif fath.

Math 1

(Gweler hefyd tud. 90-91)

Yn y math hwn mae *cyfarwyddiadau ynglŷn â beth i'w wneud â rhif* ac mae'n rhaid i chi ei *ysgrifennu fel fformiwla*. Yr unig bethau y bydd angen i chi eu gwneud yn y fformiwla fydd:

1) Lluosi x 2) Rhannu x 3) Sgwario x (x^2) 4) Adio neu dynnu rhif

ENGHRAIFFT 1:   *"I ddarganfod y, lluoswch x â dau ac yna tynnwch dri"*

ATEB: Dechrau ag x $\Longrightarrow$ $2x$ $\Longrightarrow$ $\underline{2x - 3}$ **felly $y = 2x - 3$**

Lluosi â 2   Tynnu 3

ENGHRAIFFT 2:   Dyma'r math anoddaf a gewch:

"I ddarganfod y, sgwariwch x, rhannwch hyn â phump ac yna tynnwch bedwar. Ysgrifennwch fformiwla ar gyfer y."

ATEB: Dechrau ag x $\Longrightarrow$ x^2 $\Longrightarrow$ $\dfrac{x^2}{5}$ $\Longrightarrow$ $\dfrac{x^2}{5} - 4$

Ei sgwario   Rhannu â 5   Tynnu 4

Fel y gwelwch, dydyn nhw ddim yn anodd.

$$y = \frac{x^2}{5} - 4$$

Math 2

Mae hyn ychydig yn fwy anodd. *Mae'n rhaid i chi lunio fformiwla* gan roi llythrennau fel "C" am "*cost*" neu "n" am "*nifer*". Er y gall ymddangos yn gymhleth, *mae'r fformiwlâu bob amser yn SYML IAWN*. Felly cofiwch roi cynnig arnynt.

ENGHRAIFFT: Pris creision draenog Llyn Llwgu yw 35 ceiniog y pecyn. Ysgrifennwch fformiwla ar gyfer cyfanswm y gost, C, o brynu n pecyn o'r creision hyn am 35 ceiniog yr un.

ATEB: C yw cyfanswm y gost
        n yw nifer y pecynnau creision

Mewn geiriau y fformiwla yw: Cyfanswm y Gost = Nifer y pecynnau creision $\times$ 35c

Mewn llythrennau: $C = n \times 35$ neu'n well: $\underline{C = 35n}$

Y Prawf Hollbwysig

1) Mae gwerth y yn cael ei ddarganfod drwy gymryd x, ei luosi â saith ac yna tynnu chwech. Ysgrifennwch fformiwla ar gyfer y yn nhermau x.
2) Un o'r prif gwmnïau sy'n cystadlu â chwmni Llyn Llwgu yw "Cwmni Achafu", sy'n cynhyrchu amrywiaeth fawr o gynhyrchion gan gynnwys "Past Afu Amrwd" sy'n costio 52c y jar. Ysgrifennwch fformiwla ar gyfer cyfanswm y gost, C (mewn ceiniogau), o brynu n jar o'r Past Afu Amrwd.

Past Afu
Amrwd
Achafu

Cynnig a Gwella

Datrys Hafaliadau

Ystyr *"Datrys hafaliadau"* yw *"Darganfod gwerth "x" fel bo'r hafaliad yn gywir"*. Mae rhai ffyrdd anodd o wneud hyn, ond mae CYNNIG A GWELLA yn *hawdd iawn*. Felly, *gwnewch yn siŵr eich bod yn dysgu'r dull hwn*.

Enghraifft 1

Datryswch yr hafaliad $2x + 5 = 7 + x$ (Hynny yw, "Darganfyddwch werth x *fel bo'r hafaliad yn gywir*")

Cynigiwch $x = 1$	$2x + 5$	$=$	$7 + x$	
	$2 \times 1 + 5$	$=$	$7 + 1$	
	$2 + 5$	$=$	$7 + 1$	
	7	$=$	8	Anghywir (Yr ochr dde yn rhy fawr)
Cynigiwch $x = 3$	$2x + 5$	$=$	$7 + x$	
	$2 \times 3 + 5$	$=$	$7 + 3$	
	$6 + 5$	$=$	$7 + 3$	
	11	$=$	10	Anghywir (Yr ochr chwith yn rhy fawr)

FELLY CYNIGIWCH WERTH RHWNG 1 A 3:

$x = 2$	$2x + 5$	$=$	$7 + x$	
	$2 \times 2 + 5$	$=$	$7 + 2$	
	$4 + 5$	$=$	$7 + 2$	
	9	$=$	9	Cywir, felly $\underline{x = 2}$

Enghraifft 2

Darganfyddwch werth x i un lle degol pan fo $x^3 = 24$

ATEB: Cynigiwch werthoedd x i geisio cael 24. Cofiwch, $x^3 = x \times x \times x$ (Gweler tud. 88 - Pwerau)

Cynigiwch $x = 4$	$4^3 = 4 \times 4 \times 4 = 64$	Anghywir, *rhy fawr o lawer*
Cynigiwch $x = 2$	$2^3 = 2 \times 2 \times 2 = 8$	Anghywir, *rhy fach o lawer*
Cynigiwch $x = 3$	$3^3 = 3 \times 3 \times 3 = 27$	*Yn agos iawn*, ond ychydig yn rhy fawr
Cynigiwch $x = 2.8$	$2.8^3 = 2.8 \times 2.8 \times 2.8 = 21.952$	Yn agos eto, ond yn *rhy fach*
Cynigiwch $x = 2.9$	$2.9^3 = 2.9 \times 2.9 \times 2.9 = 24.389$	Dyma'r *agosaf*

Felly, i un lle degol, $\underline{x = 2.9}$ (COFIWCH YSGRIFENNU POB CYNNIG A WNEWCH)

Nodyn Arbennig

COFIWCH, *does dim rhaid i chi feddwl yn rhy galed wrth ddefnyddio'r dull hwn.*
Dechreuwch â rhif rhesymol fel 1, 2, 3 neu 4. *Rhowch hwn yn yr hafaliad* a gweld pa ateb a gewch. *Yna ceisiwch roi cynnig gwell* (agosach) - a daliwch ati nes cael yr ateb.

Y Prawf Hollbwysig

1) Defnyddiwch y dull cynnig a gwella i ddatrys yr hafaliad hwn: $5x - 4 = 5 + 2x$.
2) Os yw $x^2 = 55$, defnyddiwch y dull cynnig a gwella i ddarganfod gwerth x yn gywir i un lle degol.

Prawf Adolygu ar gyfer Adran 6

Defnyddiwch yr holl ddulliau rydych wedi'u dysgu yn Adran 6 i ateb y cwestiynau hyn.

Prawf Adolygu

1) Mae pwysau *tri thun* yr un faint â phwysau *un botel*. Mae pwysau *dwy botel* yr un faint â phwysau *un ffiol*. *Sawl tun* sydd â'r un pwysau ag *un ffiol*?

2) *Cyfrifwch* werth   a) 4^3 b) 6^5 c) 8 wedi'i sgwario

            d) 12^4 e) $5^3 \times 4^2$ f) 7 wedi'i giwbio

3) *Darganfyddwch x* os yw $2^x = 128$ (Defnyddiwch y dull cynnig a gwella)

4) Darganfyddwch, i'r *rhif cyfan agosaf*, AIL ISRADD

            a) 59   b) 45   c) 97

5) *Ysgrifennwch fynegiad* sy'n golygu "Saith wedi'i luosi â rhif anhysbys, tynnu pump."

6) Darganfyddwch werth $\sqrt{196}$.

7) *Arwynebedd* y sgwâr a ddangosir yw *$81cm^2$*. Darganfyddwch hyd pob ochr.

Arwynebedd = $81cm^2$

8) Darganfyddwch: a) *y ddau derm nesaf*, b) *y rheol ar gyfer estyn y patrwm*, yn y dilyniannau rhif hyn:

      i) 2, 8, 14, 20, ...   iv) 880, 440, 220, ...

      ii) 2, 6, 11, 17, ...   v) 45, 37, 30, 24, ...

      iii) 2, 6, 18, 54, ...

9) Darganfyddwch y mynegiad ar gyfer yr *nfed rhif* yn y dilyniant hwn:

                    7,   10,   13,   16, ...

10) Ar y *LLINELL RIF*, rhowch y rhifau hyn yn *ôl trefn maint*, gyda'r lleiaf yn gyntaf: -5,   8,   0,   -9,   12,   1,   -1,   2

11) Un diwrnod mae'r tymheredd yn codi o *-8°C i 3°C*. Beth yw'r *cynnydd yn y tymheredd* mewn °C?

12) *Cyfrifwch:*   a) -7 $\times$ -2 ;   b) -8 $\times$ 2 ;

             c) 5 $\times$ -6 ;   d) -3 $\div$ -1 .

Prawf Adolygu ar gyfer Adran 6

13) *Symleiddiwch* y mynegiad: $x + 3y + 2x - 2y - 7$.

14) *Ehangwch* y mynegiad hwn: $5(2m + 3n - 4)$.

15) *Ehangwch* y mynegiad hwn: $4g(2 + 5h - 6m)$.

16) Os yw $G = 4HL + 6$ *Darganfyddwch G* pan fo $H = 7$ ac $L = 2$.

17) Beth yw'r *ddwy raddfa* ar gyfer *mesur tymheredd*?

18) Beth yw *tymheredd ystafell* mewn °F? Beth yw hyn mewn °C?

19) Gan ddefnyddio'r fformiwla $F = \frac{9}{5}C + 32$, darganfyddwch y tymheredd mewn °F pan fo'r tymheredd yn 35°C. A fyddai'n *ddiwrnod poeth*, yn *ddiwrnod cynnes* neu'n *ddiwrnod oer*?

20) "I ddarganfod *N* rydych yn dyblu *M* ac yn ychwanegu 3." Ysgrifennwch hyn fel fformiwla.

21) *Ysgrifennwch fformiwla* ar gyfer cyfanswm y gost, *C*, o brynu *n* pecyn o greision "Crwban" am 27c yr un.

22) Os yw pris y creision hyn yn anhysbys ac yn cael ei alw'n "*P*", *ysgrifennwch fformiwla* ar gyfer cyfanswm y gost, *C*, o brynu *n* pecyn am y pris *P*.

23) Defnyddiwch y *dull cynnig a gwella* i "ddatrys" yr hafaliadau hyn (h.y. darganfyddwch werth x sy'n eu gwneud yn gywir).
   a) $5x + 2 = 30 - 2x$
   b) $2x + 7 = 7x - 3$

24) Os yw $x^2 = 60$, darganfyddwch x yn gywir i *un lle degol*. (Cynnig a Gwella)

Diwedd y llyfr -
amser i ddathlu!

25) Os yw $z^3 = 24$, darganfyddwch z yn gywir i *un lle degol*.

26) *Sawl dot* fydd yn:
   a) y *pedwerydd* patrwm;
   b) y *pumed* patrwm;
   c) yr *ugeinfed* patrwm?

OS CEWCH DRAFFERTH gydag unrhyw un o'r cwestiynau hyn, *trowch yn ôl i'r dudalen berthnasol* yn Adran 6 i *weld sut i ateb y cwestiwn*.

Atebion

Adran 1 - Y Profion Hollbwysig

Tud.1 <u>RHIFAU MAWR</u>: <u>1</u>)a) Un filiwn, pedwar cant tri deg un o filoedd, saith cant un deg chwech. <u>b</u>) Dau ddeg pump mil, naw cant naw deg naw / Pum mil ar hugain, naw cant naw deg naw. <u>c</u>) Chwe mil wyth cant a deuddeg / Chwe mil wyth cant un deg dau. <u>d</u>) Dwy fil pedwar deg un. <u>e</u>) Un fil wyth cant ac un. <u>2</u>) 9,655. <u>3</u>) 8, 26, 59, 102, 261, 3785, 4600.

Tud.2 <u>PLWS, MINWS, LLUOSI A RHANNU</u>: <u>1</u>) 76; 76-49=27. <u>2</u>) 29; 29+36=65. <u>3</u>) 638; 638-392=246. <u>4</u>) 358; 358+252=610. <u>5</u>) 70; 70÷5=14. <u>6</u>) 5; 5×20=100. <u>7</u>) 952; 952÷28=34. <u>8</u>) 16; 16×15=240.

Tud.3 <u>PATRYMAU GYDA LLUOSI A RHANNU</u>: <u>1</u>) 4. <u>2</u>) 12. <u>3</u>) 8. <u>4</u>) 3. <u>5</u>) 6. <u>6</u>) 4.

Tud.4 <u>LLUOSI Â 10, 100, 1000</u>: <u>1</u>)a) 1400 <u>b</u>) 871 <u>c</u>) 25000 <u>2</u>)a) 600 <u>b</u>) 660 <u>c</u>) 21000.

Tud.5 <u>RHANNU Â 10, 100, 1000</u>: <u>1</u>)a) 5.6 <u>b</u>) 4.265 <u>c</u>) 0.01275 <u>2</u>)a) 2.2 <u>b</u>) 22.2 <u>c</u>) 40.

Tud.6 <u>LLUOSRIFAU A FFACTORAU</u>: <u>1</u>)a) 4, 8, 12, 16, 20, 24, 28, 32, 36, 40, 44, 48, 52, 56, 60, 64, 68, 72, 76, 80, 84, 88, 92, 96, 100. <u>b</u>) 9, 18, 27, 36, 45, 54, 63, 72, 81, 90, 99. <u>c</u>) 36 <u>2</u>)a) 1, 2, 3, 6 <u>b</u>) 1, 3, 5, 15. <u>c</u>) 1 neu 3.

Tud.7 <u>ODRIFAU, EILRIFAU, RHIFAU SGWÂR A RHIFAU CIWB</u>: <u>2</u>)a) 50, 100, 132. <u>b</u>) 27, 31, 49, 81, 125. <u>c</u>) 49, 81, 100. <u>d</u>) 27, 125.

Tud.9 <u>RHIFAU CYSEFIN</u>: <u>1</u>) 83, 89, 97

Tud.10 <u>CYMHAREB YN Y CARTREF</u>: <u>1</u>) 56c <u>2</u>) £525 : £735.

Tud.11 <u>TARTEN LLYGOD A LLYFFANTOD</u>: Rysàit ar gyfer 8: 8 llygoden, 4 llyffant, 16 owns o "Saws Llyn Llwgu", 24 taten, darn <u>mawr iawn</u> o grwst (dwyaith cymaint mewn gwirionedd).

Tud.12 <u>ARIAN</u>: <u>1</u>) £7.57. <u>2</u>) £16.45. <u>3</u>) £20.97. <u>4</u>) £3.05.

Tud.13 <u>Y FARGEN ORAU</u>: Maint Ffermdy yw'r fargen orau - 3.7g am bob ceiniog.

Tud.14 <u>LLUOSI A RHANNU HEB GYFRIFIANNELL</u>: <u>1</u>) 336. <u>2</u>) 616. <u>3</u>) 832. <u>4</u>) 12. <u>5</u>) 121. <u>6</u>) 12.

Tud.15 <u>CWESTIYNAU CYFFREDIN GYDA × A ÷</u>: <u>1</u>) £7.45. <u>2</u>) 10.

Tud.17 <u>BOTYMAU CYFRIFIANNELL</u>: <u>1</u>) Gweler tud.16 <u>2</u>) Gweler tud.17 <u>3</u>) ⬛ 5 ⬛ +/- ⬛ × ⬛ 3 ⬛ +/- ⬛ = ⬛ <u>4</u>) 9.16×10^{14} <u>5</u>) £3.10

Tud.18 <u>DEFNYDDIO FFORMIWLÂU</u>: <u>2</u>) 18. <u>3</u>) -4.

Tud.19 <u>TREFNU DEGOLION</u>: 0.00049, 0.006, 0.0591, 0.082, 0.792, 1.03.

Prawf Adolygu ar gyfer Adran 1

<u>1</u>) Pedair miliwn, dau gant un deg chwech o filoedd tri chant wyth deg chwech. <u>2</u>) 4, 26, 48, 144, 612, 842, 1212, 2006. <u>3</u>)a) 2680 <u>b</u>) 340,000 <u>c</u>) 0.648 <u>d</u>) 600 <u>e</u>) 200 <u>4</u>) Lluosrifau yw tabl lluosi rhif; 10, 20, 30, 40, 50, 60; 3, 6, 9, 12, 15, 18; <u>5</u>) Ffactorau rhif yw'r rhifau sy'n rhannu i mewn iddo; 1, 2, 3, 4, 6, 8, 12, 24. <u>6</u>)a) 1, 9, 16, 25, 36, 100. <u>b</u>) 16, 18, 36, 100. <u>c</u>) 1, 9, 25, 63. <u>7</u>) Gweler tud.7 2, 4, 6, 8, 10, 12, 14, 16, 18, 20 <u>8</u>) Gweler tud.7 1, 3, 5, 7, 9, 11, 13, 15, 17, 19 <u>9</u>) Gweler tud. 7.
<u>10</u>) Gweler tud.8 2, 3, 5, 7, 11, 13 <u>11</u>) Mae'n rhaid iddynt ddiweddu ag 1, 3, 7, 9 ac nid ydynt yn rhannu'n union â 3 nac â 7; 5, 7, 11, 13, 17, 19, 23, 29. <u>12</u>) Rheol Aur: "RHANNU I GAEL UN, YNA LLUOSI"
<u>13</u>) £1.90. <u>14</u>) 300g. <u>15</u>)a) £7.25. <u>b</u>) £47.94. <u>c</u>) £122.50. <u>16</u>) Rheol Aur: "RHANNU Â'R PRIS, MEWN CEINIOGAU"; Yr un mwyaf yw'r fargen orau, sef 20.8g am bob ceiniog. <u>17</u>)

$$\begin{array}{r} \times\;43 \\ 28 \\ \hline 344 \\ 860 \\ \hline 1204 \end{array} \qquad 28\,\overline{)1204}$$

<u>18</u>) Gweler tud.16. <u>19</u>) Gweler tud.16. <u>20</u>) Pwyswch ⬛ ÷ ⬛ ac ewch ymlaen.
<u>21</u>) Gweler tud.17 <u>22</u>) ⬛ 6 ⬛ +/- ⬛ <u>23</u>) 30. <u>24</u>) 2.4×10^{11} <u>25</u>) £5.32.
<u>26</u>) Gweler tud.18 <u>27</u>) 14. <u>28</u>) 3. <u>29</u>) 0.05, 0.15, 0.5, 0.505, 0.51, 0.55.

Adran 2 - Y Profion Hollbwysig

Tud.22 <u>PERIMEDRAU</u>: <u>2</u>) 26cm

Tud.25 <u>ARWYNEBEDD - CWESTIYNAU CYFFREDIN</u>: <u>1</u>) 15cm² <u>2</u>) 12cm² <u>3</u>) A = H × Ll; 18=6×?; felly ? = 3cm. <u>4</u>) A = H × Ll; 24=?×3; felly ? = 8cm.

Tud.27 <u>MANYLION YCHWANWEGOL AM GYLCHOEDD</u>: <u>1</u>) Arwynebedd = 1962.5cm², Cylchedd = 157cm. <u>2</u>) 200 o droadau.

Tud.28 <u>SOLIDAU A RHWYDI</u>: Arwynebedd Un wyneb = 6 × 6 = 36cm²; Felly Arwynebedd y rhwyd gyfan = 6 × 36 = 216cm².

Atebion

Adran 2 - Y Profion Hollbwysig (parhad)

Tud.29 <u>CYFAINT (CYNHWYSEDD)</u>: <u>1</u>) 2×2×4=16. <u>2</u>) 3×2×1=6cm³.
<u>3</u>) 8m³. <u>4</u>) 96cm³.

Tud.31 <u>CYMESUREDD</u>:
T: 1 llinell cymesuredd, Dim cymesuredd cylchdro,
K: 1 llinell cymesuredd, Dim cymesuredd cylchdro,
I: 2 linell cymesuredd, Cymesuredd cylchdro trefn 2,
N: Dim llinell cymesuredd, Cymesuredd cylchdro trefn 2,
S: Dim llinell cymesuredd, Cymesuredd cylchdro trefn 2,
M: 1 llinell cymesuredd, Dim cymesuredd cylchdro.

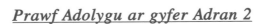

Tud.35 <u>POLYGONAU RHEOLAIDD</u>: <u>1</u>) Gweler tud.34 <u>2</u>) Gweler tud.34 <u>3</u>) Gweler tud.35
<u>4</u>) A = 45°   B = 135°

Prawf Adolygu ar gyfer Adran 2

1) Gweler tud.22; Perimedr = 32cm. 2)a) A = H × Ll b) A = ¹/₂ × S × U
3) A = π × r²   C = π × D. 4) Gweler tud.24 <u>5</u>)a) 40cm² <u>b</u>) 20cm² <u>c</u>) 6m² <u>d</u>) 78.5cm² <u>6</u>) 24m².
7) π yw 3.14; 8m. <u>8</u>) 75.4cm. <u>9</u>) 452.2cm². 10) 26.5 o droadau. <u>11</u>) Gweler tud.28
<u>12</u>)<u>a</u>) 125cm³ <u>b</u>) 90cm³. 13) Cymesuredd Llinell, Cymesuredd Plân a Chymesuredd Cylchdro.
14) Gweler tud.32/33 15) Dangoswch i'r athro/athrawes. 16) Gweler tud.34 <u>17</u>) 72° a 108°.
<u>18</u>) Dangoswch i'r athro/athrawes.

Adran 3 - Y Profion Hollbwysig

Tud.38 <u>UNEDAU IMPERIAL A METRIG</u>: <u>1</u>)<u>a</u>) 300cm <u>b</u>) 40mm <u>2</u>)<u>a</u>) 1.5kg <u>b</u>) 2 litr
<u>3</u>) 3 troedfedd 4 modfedd <u>4</u>)<u>a</u>) 100 neu 110 o lathenni <u>b</u>) 180cm.

Tud.40 <u>TALGRYNNU</u>: <u>2</u>)<u>a</u>) 2.3 <u>b</u>) 4.6 <u>c</u>) 3.3 <u>d</u>) 9.9 <u>e</u>) 0.8 <u>3</u>)<u>a</u>) 2 <u>b</u>) 2 <u>c</u>) 5 <u>d</u>) 1 <u>e</u>) 5

Tud.41 <u>1</u>)<u>a</u>) 780 <u>b</u>) 590 <u>c</u>) 40 <u>d</u>) 30 <u>e</u>) 100 <u>2</u>)<u>a</u>) 2 <u>b</u>) 3 <u>c</u>) 4 <u>d</u>) 2 <u>e</u>) 1 <u>3</u>)<u>a</u>) 3600 <u>b</u>) 800 <u>c</u>) 300

Tud.42 <u>AMCANGYFRIF A BRASAMCANU</u>: <u>1</u>) 3 <u>2</u>) Rhwng 25cm² a 70cm²
<u>3</u>) Rhwng 10m² a 60m²

Tud.43 <u>GRAFFIAU TRAWSNEWID</u>: <u>1</u>)<u>a</u>) 40km <u>b</u>) 72km <u>2</u>)<u>a</u>) 12¹/₂ o filltiroedd <u>b</u>) 31 milltir.

Tud.45 <u>FFACTORAU TRAWSNEWID</u>: <u>1</u>) 120kg <u>2</u>) 12 peint

Tud.46 <u>FFRACSIYNAU</u>: <u>1</u>) 0.6 <u>2</u>) £600 <u>3</u>)<u>a</u>) ²/₃ <u>b</u>) ⁵/₆ <u>c</u>) ⁵/₇ .

Tud.47 <u>FFRACSIYNAU/DEGOLION/CANRANNAU</u>:

Tud.51 <u>CANRANNAU</u>: <u>1</u>) Math 1, £70.
<u>2</u>) Math 2, 9%.

Ffracsiwn	Degolyn	Canran
1/5	0.2	20%
2/5	0.4	40%
4/5	0.8	80%
1/10	0.1	10%
7/10	0.7	70%
3/8	0.375	37½%
5/8	0.625	62½%

Prawf Adolygu ar gyfer Adran 3

<u>1</u>)<u>a</u>) 100 <u>b</u>) 1000 <u>c</u>) 1000 <u>d</u>) 1000 <u>2</u>) 2 droedfedd 2 fodfedd <u>3</u>) 2.2m <u>4</u>) 1600cm³ <u>5</u>)<u>a</u>) 6.4 <u>b</u>) 5.5
<u>c</u>) 8.3 <u>6</u>)<u>a</u>) 2 <u>b</u>) 2 <u>c</u>) 5 <u>d</u>) 11 <u>7</u>) a) 530 <u>b</u>) 500 <u>8</u>)<u>a</u>) 3000 <u>b</u>) 50 <u>9</u>)<u>a</u>) 2 <u>b</u>) 2 <u>c</u>) 2 <u>d</u>) 3 <u>e</u>) 1 <u>10</u>) 10
<u>11</u>) 10m. <u>12</u>) 4m². <u>13</u>) Gweler tud.44 <u>14</u>) 375cm <u>15</u>)<u>a</u>) £8 <u>b</u>) 45 doler <u>16</u>) 21 milltir <u>17</u>) 2590kg.
<u>18</u>) Ffracsiynau <u>a</u>) £17. <u>b</u>) £40. <u>19</u>)<u>a</u>) 0.125. <u>b</u>) ³/₄. <u>20</u>)<u>a</u>) Rhannu. <u>b</u>) × â 100. <u>21</u>) ¹/₂ = 0.5 = 50%.
<u>22</u>) 1/5 = 0.2 = 20%. <u>23</u>) Arbed £7: pris = £21. <u>24</u>) Gostyngiad o 20%

Atebion

Adran 4 - Y Profion Hollbwysig

Tud.55 <u>CYMEDR/CANOLRIF/MODD/AMREDIAD</u>: Yn gyntaf ad-drefnwch nhw:
2, 3, 5, 7, 8, 10, 10, 11, 16 (9);
cymedr = 8; canolrif = 8; modd = 10; amrediad = 14.

Tud. 56 <u>TABL MARCIAU RHIFO</u>:

Llythyren gofrestru	Marciau Rhifo	Amlder
J	I	1
K		0
L	II	2
M	II	2
N	LM1	5
P	II	2
R	IIII	4
S	I	1
	Cyfanswm 17	

Tud. 57 <u>SIART BAR</u>:

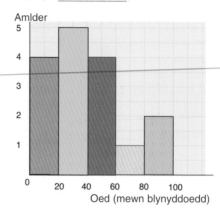

Tud.59 <u>GRAFFIAU A SIARTIAU</u>: <u>2</u>) Mae perthynas agos rhyngddynt. Mae ganddynt gydberthyniad POSITIF.

Tud.60 <u>SIARTIAU CYLCH</u>:

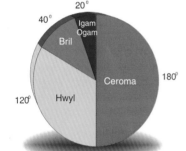

Tud.63 <u>TEBYGOLRWYDD</u>: <u>1</u>) 1 neu yn bendant.
<u>2</u>)<u>a</u>) 1/6. <u>b</u>) 5/6.
<u>3</u>) 4/15
<u>4</u>) P-1, P-2, P-3, P-4, P-5, P-6,
C-1, C-2, C-3, C-4, C-5, C-6

Tud.64 <u>ARBROFION TEBYGOLRWYDD</u>: Dangoswch i'r athro/athrawes.

Tud.65 <u>CYFESURYNNAU'R PEDRANT CYNTAF</u>:
(1,1) (4,1)
(1,4) (4,4)

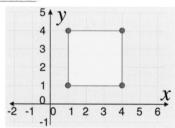

Tud.66 <u>CYFESURYNNAU POSITIF A NEGATIF</u>:
<u>1</u>)<u>a</u>) A(-3,-3); B(-3,1); C(0,3); D(3,1); E(3,-3). <u>b</u>) a <u>c</u>) Dangoswch i'r athro/athrawes.
<u>d</u>) AB yw x=-3; AE yw y=-3.

Tud.67 <u>PEDWAR GRAFF</u>:

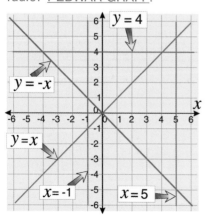

Tud.69 <u>LLUNIO GRAFFIAU</u>:

x	-4	-2	-1	0	1	2	4
y	-1	1	2	3	4	5	7

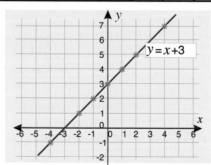

Atebion

Prawf Adolygu ar gyfer Adran 4

1) Yn gyntaf rhowch nhw mewn trefn: 2, 2, 3, 5, 6, 7, 9, 10 (8) a) Modd = 2. b) Canolrif = 5.5.
c) Cymedr = 5.5. d) Amrediad = 8. 2) Pictogram. 3) 35. 4) Graff Gwasgariad.
5) Cydberthyniad Negatif eithaf da.

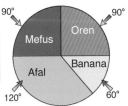

6)

Ffrwythau	Afal	Mefus	Banana	Oren	Cyfanswm
Nifer	20	15	10	15	60
Ongl	120	90	60	90	360 gradd

7) Gwerthoedd w o 20 i 30 yn cynnwys 20 ond heb gynnwys 30.
   Byddai 30 yn y grŵp nesaf.
8) 9/27 neu 1/3. 9) PP PC CP CC; 1/4 + 1/4 = 1/2.
10) P-1, P-2, P-3, P-4, P-5, P-6,
    C-1, C-2, C-3, C-4, C-5, C-6;   1/12   11) 0.7

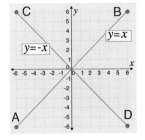

12) Llinell AB yw $y=x$;
13) Llinell CD yw $y=-x$.

Adran 5 - Y Profion Hollbwysig

Tud.73 CLOCIAU A CHALENDRAU: 1)a) 6:30pm b) 2:45pm 2) 11:15am 3) 38.
Tud.74 CYFEIRIADAU CWMPAWD A CHYFEIRIANNAU: 1)   2) 3 ongl sgwâr.
                                                          3) 180°.
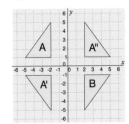
                                                          4) 225°; 315°.

Tud.75 1)a) 120°; b) 300°; 2)a) 050°; b) 180°.
Tud.77 MAPIAU A GRADDFEYDD: 2) 400m 3) 6cm.
Tud.78 LLINELLAU AC ONGLAU: 1)a) 60° b) 80° c) 100° d) 210°.
Tud.79 MESUR ONGLAU: 3)

a) 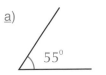 55°   b) 120°   c) 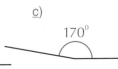 170°

Tud.80 PUM RHEOL ONGLAU: 2) 55°.

Tud.81 NODIANT 3 LLYTHYREN: 1) 30°   a) BAC neu CAB.   b) BAD neu DAB.
Tud.82 CYFATH: 1) Mae siapiau cyfath yr un maint a'r un siâp. 2) Dangoswch i'r athro/athrawes.
Tud.83 ADLEWYRCHIAD A CHYLCHDRO:
       4) Mae A→B yn gylchdro 180° o amgylch y tarddbwynt.
       5) Mae A'→B yn adlewyrchiad yn yr echelin y.
          Mae A"→B yn adlewyrchiad yn yr echelin x.

Atebion

Prawf Adolygu ar gyfer Adran 5

<u>1</u>) 8:20pm <u>2</u>) 19:30 <u>3</u>) 5 awr a 50 munud. <u>4</u>) 2.45pm. <u>5)a</u>) 31; <u>b</u>) 30; <u>c</u>) 31.

<u>6</u>)

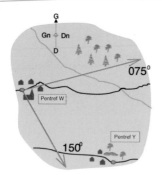

<u>7)a</u>) 2; <u>b</u>) 3.
<u>8</u>) "ODDI WRTH", LLINELL Y GOGLEDD, CLOCWEDD.
<u>9</u>) a <u>10</u>)

<u>11</u>) 305°
<u>12)a</u>) 3m×3.5m <u>b</u>) 2m yw'r hyd, 1m yw'r lled.
<u>13</u>) 32km.
<u>14</u>) Gweler tud.78
<u>15)a</u>) 37° <u>b</u>) 80° <u>c</u>) 162° <u>d</u>) 288°
<u>16</u>) Gweler tud.79
<u>17</u>) $x = 115°$, $y = 50°$
<u>18</u>) Cyfath
<u>19</u>) Gweler tud.83.

Adran 6 - Y Profion Hollbwysig

Tud.87 <u>CYDBWYSO</u>: <u>1</u>) 6 <u>2</u>) 3 <u>3</u>) 3 <u>4</u>) 3.
Tud.88 <u>PWERAU</u>: <u>1</u>) 64 <u>2</u>) 25; 216 <u>3</u>) 3 <u>4</u>) 162.
Tud.89 <u>AIL ISRADDAU</u>: <u>1</u>) 8 <u>2)a</u>) 6 <u>b</u>) 6.325 <u>c</u>) 19683 <u>d</u>) 256 <u>3</u>) $x = 4$m.
Tud.91 <u>PATRYMAU RHIF</u>: <u>CWESTIWN CYFFREDIN</u>: <u>1</u>) 4, 6, 8, 10 <u>2)a</u>) 12 <u>b</u>) 14 <u>c</u>) 20.
Tud.93 <u>FFORMIWLA PATRYMAU RHIF</u>: <u>1)a</u>) 34, 41 "Adio 7" <u>b</u>) 8000, 80000 "Lluosi'r term blaenorol â 10"
        <u>c</u>) 4, 2 "Rhannu'r term blaenorol â 2" <u>2</u>) $2n + 3$ <u>3)a</u>) 8. <u>b</u>) $2n+2$.
Tud.95 <u>RHIFAU NEGATIF</u>: <u>1</u>) -21, -11, -10, -4, -1, 0, 5, 6, 20, 22. <u>2</u>) 13°C <u>3)a</u>) -50 <u>b</u>) +3.
        <u>4</u>) $y = +4$ $y = +9$ <u>5</u>) -12
Tud.96 <u>ALGEBRA SYLFAENOL</u>: <u>1)a</u>) $5x + 8$ <u>b</u>) $7y - z$ <u>2)a</u>) $12gh - 4g$ <u>b</u>) $35d - 14 - 28f^2$.
Tud.97 <u>TYMHEREDD °F a °C</u>: <u>1</u>) 77°F Poeth!
        <u>2</u>) 5°C Oer, ond nid yn rhewllyd (ond efallai y bydd rhywfaint o niwl!).
Tud.98 <u>GWNEUD FFORMIWLÂU</u>: <u>1</u>) $y = 7x - 6$. <u>2</u>) $C = 52n$.
Tud.99 <u>CYNNIG A GWELLA</u>: <u>1</u>) $x = 3$ <u>2</u>) $x = 7.4$.

Prawf Adolygu ar gyfer Adran 6

<u>1</u>) 6 <u>2)a</u>) 64 <u>b</u>) 7776 <u>c</u>) 64 <u>d</u>) 20736 <u>e</u>) 2000 <u>f</u>) 343 <u>3</u>) $x = 7$ <u>4)a</u>) 8 <u>b</u>) 7 <u>c</u>) 10.
<u>5</u>) $7x - 5$. <u>6</u>) 14. <u>7</u>) 9cm <u>8)i</u>) 26, 32; adio 6 at y term blaenorol. <u>ii</u>) 24, 32; adio un yn ychwanegol bob
tro. <u>iii</u>) 162, 486; lluosi â 3. <u>iv</u>) 110, 55; rhannu â 2. <u>v</u>) 19, 15; tynnu un yn llai bob tro.
<u>9</u>) $n$fed rhif = $3n + 4$ <u>10</u>)

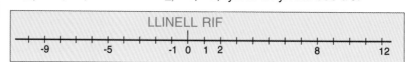

<u>11</u>) 11°C <u>12)a</u>) +14 <u>b</u>) −16 <u>c</u>) −30 <u>d</u>) +3. <u>13</u>) $3x + y - 7$. <u>14</u>) $10m + 15n - 20$.
<u>15</u>) $8g + 20gh - 24gm$. <u>16</u>) $G = 62$. <u>17</u>) °F a °C <u>18</u>) 70°F 20°C <u>19</u>) 95°F Diwrnod poeth iawn!
<u>20</u>) $N = 2M + 3$. <u>21</u>) $C = 27n$. <u>22</u>) $C = Pn$. <u>23)a</u>) $x = 4$ <u>b</u>) $x = 2$. <u>24</u>) $x = 7.7$. <u>25</u>) $z = 2.9$.
<u>26)a</u>) 16 <u>b</u>) 19 <u>c</u>) 64.

Mynegai

Mynegai